Raymonde Provost.

PROFESSION: FEMME

PROFESSION: Femme

MARIETTE LÉVESQUE

ÉDITIONS HÉRITAGE

MONTRÉAL

Conception graphique: Martin Dufour
Photos: Daniel Poulin

Copyright © 1980 by Les Éditions Héritage Inc.
Tous droits réservés

Dépôts légaux: 4e trimestre 1980
Bibliothèque nationale du Québec
Bibliothèque nationale du Canada

ISBN: 0-7773-3846-7   Imprimé au Canada

LES ÉDITIONS HÉRITAGE INC.
300, Arran, Saint-Lambert, Qué. J4R 1K5
(514) 672-6710

Je dédie ce livre à toutes celles qui ont le courage de croire au bonheur et qui acceptent de vivre quotidiennement leurs rêves. Pour celles-là, la vraie vie recommence chaque matin.

Introduction

"On ne naît pas femme, on le devient."

Simone de Beauvoir

DEPUIS que les femmes ont décidé de remettre en question le rôle qui leur était traditionnellement imposé par l'homme, beaucoup d'encre a coulé. L'oppression, l'exploitation, l'aliénation ont été dénoncées partout où les femmes se sont emparées de la parole. Toutefois, si on a beaucoup dénoncé, on a moins souvent abordé une question pourtant fondamentale: comment vivre quotidiennement cette évolution qui ne va pas toujours sans heurts, tant s'en faut. Car il ne suffit pas de faire table rase des idées toutes faites, de l'éducation culpabilisante, des stéréotypes sécurisants. Il faut surtout découvrir qui on est réellement, au fond de soi, et apprendre à vivre selon ses désirs, ses aspirations, ses volontés, ses égoïsmes. Mais si cela semble aller de soi quand il s'agit des hommes, il en va tout autrement pour nous, les femmes. En effet, parce que les hommes nous ont utilisées comme un trophée, la beauté de l'épouse étant un atout indispensable à leur réussite sociale et la richesse de ses parures devenant la confirmation de cette même réussite, ils nous ont, depuis toujours, écrasées par un lapidaire et définitif "sois belle et tais-toi", en nous refusant le droit d'être intelligentes, épanouies et autonomes, grosses, laides ou myopes. Et nous avons joué leur jeu. Belles, nous en avons rajouté à

9

grands renforts de maquillage, de toilettes, de bijoux, en respectant scrupuleusement une mode qui nous étranglait avec ses guêpières ou nous déformait la colonne vertébrale avec ses talons aiguilles. Laides, nous nous sommes vues, d'office, reléguées au ban de la "société", condamnées à vivre en coulisse, cendrillons sans marraine. Nous avons vécu soumises, silencieuses, dévouées, sacrifiées, bafouées, décérébrées, oubliées, exhibées. Nous avons élevé nos filles à notre image et nos fils à celle de leur père. Mais voici que, soudain, l'horizon s'étend au-delà du miroir ou de la corde à linge et que tout devient possible.

Oui, tout devient effectivement possible, mais comment? Comment se libérer en s'épanouissant plutôt qu'en tombant dans le piège du négativisme et du rejet de tout ce qui est masculin, surtout que nous ne sommes pas seules en cause: le mari, les enfants, le patron, l'entourage, tous sont à vaincre et à convaincre. Comment renverser des barrières sans en ériger d'autres. Comment découvrir ce que nous sommes, derrière l'image fabriquée par les autres; comment nous affirmer, alors qu'il n'existe à peu près pas de précédents dont nous pourrions nous inspirer. Pourtant, nous sommes loin d'être aussi désarmées que nous pourrions le croire. Seulement, cela fait si longtemps qu'on nous apprend à ne jamais penser à nous que, obnubilées par nos devoirs, nous en avons oublié nos droits. Et ceux-ci ne se réapprennent pas facilement, d'autant plus que nous sommes souvent habitées par la peur de nous tromper, de mal faire, quand ce n'est pas de faire mal. Mais dès l'instant où nous comprenons que notre énergie, notre volonté, notre confiance en la vie et en nous-mêmes sont les outils qui nous permettront de défricher cette nouvelle route, celle-ci commence effectivement à s'aplanir. Tout le secret est là: puiser en nous-mêmes les forces dont nous nous pensions dépourvues, apprendre à nous servir de nos échecs et à domestiquer nos peurs (puisqu'elles semblent bien ne devoir nous quitter qu'avec la vie . . .), tirer le maximum de nos possibilités, nous aimer nous-mêmes.

Chacune d'entre nous est dotée d'un magnétisme aussi

puissant qu'un soleil. Mais pour lui permettre de rayonner, nous devons développer notre moi intime, sans hésiter à tout remettre en question, à prendre des risques, à changer ce qui doit l'être, un peu comme ma tante qui, à cinquante ans, s'inscrivit à l'université et exerça ensuite sa profession pendant une bonne vingtaine d'années au lieu de vieillir dans la solitude. Il faut un certain courage pour vouloir grandir, tout comme pour accepter les échecs sans se mépriser de ne pas avoir été à la hauteur. L'échec est une source d'enseignement aussi riche, sinon plus, que la réussite. Il nous faut également du courage pour ne pas nous sentir coupables de nous réserver un moment, de temps en temps. Parce que, chaque fois, nous avons l'impression de le voler aux enfants ou au mari. Pourtant, nous aussi nous avons le droit de vouloir lire un livre sans être interrompues à tout bout de champ, ou de nous prélasser dans la baignoire derrière une porte soigneusement fermée, ou tout simplement de réfléchir. C'est sans doute là l'occasion parfaite pour nous, femmes qui avons grandi au Québec dans le giron du catholicisme, de cesser enfin de nous sentir coupables de tout!

Chacune d'entre nous est unique et il n'est jamais trop tard pour le découvrir. Toutes, nous sommes belles, d'une beauté qui ne s'efface pas avec le temps parce qu'elle est faite d'énergie, de sérénité, de joie de vivre. Elle n'a rien à voir avec les sacro-saints canons fixés par ceux qui avaient ainsi trouvé le moyen de nous tenir à leur merci. Il n'y a d'autre beauté que celle qui nous vient de nos qualités personnelles et de la façon dont nous les mettons en valeur. Bien sûr, avoir un joli minois, une taille bien tournée — selon les expressions consacrées . . . — est loin d'être désagréable; mais ce sont des qualités on ne peut plus éphémères et qui, surtout, ne sont qu'un bien pâle reflet de toute la richesse intérieure, trop souvent latente au fond de nous.

D'aussi loin que je me souvienne, j'ai toujours, consciemment et inconsciemment, accordé une très grande place à la beauté sous toutes ses formes. En lisant, un jour, que pour Platon, "la beauté, la bonté et la vérité sont les trois grands préceptes de la vie", je m'étais sentie rassurée, convaincue de n'avoir pas fait fausse route et continuant de confondre la beauté plastique et la beauté intérieure, celle de l'âme. Gâtée par le sort, j'ai ainsi, pendant de longues années, privilégié la première au détriment de la seconde. Puis j'ai compris tout ce que cela avait de factice, tout ce que cela comportait de soumission, d'aliénation, de négation de mon vrai moi. Dès lors, j'ai entrepris un retour aux sources, c'est-à-dire aux sources de la véritable beauté, celle que tout être possède en soi. Et j'ai découvert qu'il s'agit essentiellement d'un état d'âme, d'une façon de concevoir la vie, d'évoluer, de se respecter.

À trente-neuf ans, je me trouve au beau milieu de ma vie et j'ai dû parcourir un long chemin avant d'apprendre enfin à avoir confiance en moi. Plusieurs fois, j'ai tout remis en question, même lorsque je me sentais terrifiée à l'idée de plonger encore une fois dans l'inconnu. Pourtant, chacune de mes erreurs, chacun de mes échecs, chaque point d'interrogation s'est révélé bénéfique. J'ai appris à toujours retomber sur mes pieds, comme les chats, j'ai appris à croire en moi, à m'écouter, à m'accorder la priorité si je le jugeais bon. J'ai appris à distinguer l'essentiel du superficiel. J'ai appris que, pour s'épanouir pleinement, il est aussi important de se maintenir en bonne santé que de trouver sa propre vérité. Maintenant, je m'aime et je me sens bien dans ma peau. Mon idéal est aussi simple que difficile à atteindre: je veux être heureuse chaque jour jusqu'à la fin de ma vie, et mourir debout.

J'ai donc écrit ce livre en toute simplicité, animée par le vif désir d'aider ainsi d'autres femmes à se comprendre et à se connaître. Je l'ai divisé en deux grandes parties qui, l'une et l'autre, sont essentielles à notre bien-être mental et physique; la première traite de tout ce qu'il faut faire pour rester en forme parce que la santé est à la base de tout, tandis que la seconde remet en question les schèmes traditionnels et réunit l'ensemble de mes réflexions sur la femme nouvelle; enfin, grâce à des tests regroupés à la fin du livre, chacune pourra procéder à une rapide évaluation afin de mieux savoir à quoi s'en tenir sur son propre compte.

Je n'ai d'autre intention que de partager mon expérience avec toutes celles qui ont le courage de croire au bonheur et qui acceptent de vivre quotidiennement leurs rêves. Pour celles-là, la vraie vie recommence chaque matin.

1

Je reviens de très loin...

PLUSIEURS, à la lecture de cette entrée en matière, seront peut-être tentés de dire: "On sait bien... Mariette Lévesque! Pour elle, c'est facile!" Eh bien, non justement, ça n'a pas été facile du tout. Au contraire, je reviens de très loin ...

Quand j'étais petite, personne n'avait aussi peu confiance en moi que ... moi-même! Je me souviens que, en deuxième ou troisième année, je me réveillais à la barre du jour pour repasser des leçons que je savais par coeur, tenaillée par la crainte d'avoir tout oublié. Puis, au moment de l'interrogation, je doutais tellement de mes moyens, de mes facultés d'expression, que c'était le trou de mémoire presque à coup sûr. Pourtant, je suivais bien et apprenais n'importe quoi en quelques minutes. Mais je n'avais pas confiance en moi. Pourquoi? Je l'ignore et, de toute façon, cela n'a plus d'importance aujourd'hui.

Les années passèrent et vint l'adolescence. J'avais à peine douze ans que, déjà, je me maquillais; je me trouvais tellement laide que jamais je n'aurais osé sortir sans m'être, non pas maquillée, mais bel et bien grimée, ce que je serais absolument incapable de faire maintenant. Parce que, en dépit de tous ses défauts, j'aime trop mon visage qui est le miroir de ma personnalité pour vouloir le masquer sous une épaisse couche de poudre. Tout au plus lui donnerai-je un peu de couleur quand je ne me sens pas en forme. Mais il n'est plus question de me peinturlurer comme autrefois; cela m'est devenu insupportable et je préfère de beaucoup me présenter sous mon vrai jour pour permettre à mes interlocuteurs de lire sur ma figure ce que je ressens.

La situation était loin de s'améliorer avec le temps. Bourrée de complexes, j'avais du mal à m'exprimer et les gens disaient de moi : "Elle est belle, mais pas très intelligente", ce qui n'était pas fait pour m'aider. J'attribuais le moindre commentaire sur ma soi-disant beauté à la qualité de mon maquillage ou au fait que j'étais "photogénique", et y voyais plutôt la confirmation de ma laideur : je me trouvais trop petite, fluette, avec une bouche pas assez grande, un drôle de menton et que sais-je encore.

À force de me laisser traiter comme une jolie poupée, j'avais fini par me croire totalement dépourvue d'intelligence et n'osais plus me fier aux ressources de mon esprit. J'étais incapable de participer à une discussion et de défendre sereinement mon point de vue. Tout comme à l'école, j'avais des trous de mémoire; les mots m'échappaient et je bafouillais lamentablement. Il se passera beaucoup de temps avant que je ne finisse par comprendre qu'il s'agissait d'une question de forme et non de contenu, que je n'étais ni stupide, ni mignonne et superficielle comme on le croyait trop souvent à mon goût et que je possédais, au contraire, un style propre, une façon bien à moi d'analyser les situations, une forte personnalité.

Paralysée par la crainte d'être rejetée, je me contentais, lorsque j'assistais à une discussion, de "faire la belle", de faire le jeu du mâle sexiste, dans le plus pur style *beautiful but dumb*. De retour chez moi, je reprenais tous les points qui avaient été soulevés un peu plus tôt et les développais pour moi seule. Néanmoins, je restais convaincue de ma stupidité et persistais à me voir comme une pauvre petite femme sans force et sans volonté. La vie pouvait me briser à la première occasion, j'étais la plus consentante des victimes.

Comme tant d'autres, j'étais à la fois victime et responsable du décalage entre ce que je suis réellement et le personnage que je jouais. Si, aux yeux de tous, j'étais belle, superficielle et froide, ce n'était sûrement pas parce que j'aidais ma cause! Incapable de me montrer à visage découvert, je laissais transparaître une partie infime de ma personnalité, justement celle qui masquait complètement toute la chaleur qui vibrait en moi et mon irréfrénable besoin de communiquer, un besoin si puissant, du reste, qu'en dépit de mes complexes je m'étais lancée dans une carrière où l'on est constamment en contact avec le public! À chaque émission, à chaque apparition en public, chaque fois que je devais rivaliser avec d'autres pour décrocher un rôle dans une annonce télévisée ou une série, je sentais la peur se glisser en moi et me submerger. Il me fallait faire un effort surhumain pour ne pas courir me cacher dans le premier placard venu. Malgré tout, je persévérais... jusqu'au jour où je dus m'arrêter. Il n'y avait plus rien de commun entre ce que j'étais et l'image que je donnais de moi en public. Mon personnage était aux antipodes de mon moi véritable et ce décalage m'était devenu intolérable.

Ce fut le trou noir.

Je laissai tout tomber, renonçant à me battre, convaincue de mon manque absolu de valeur et d'intelligence. Réfugiée sous mon édredon, je ne lisais même plus et passais des heures et des heures devant la télévision, comme un légume.

Puis, grâce à un ami qui m'obligea à faire le point, je commençai tout doucement à remonter la pente. Mes yeux s'ouvrirent. Pour affronter les caméras, il fallait du courage. Pour divorcer comme je l'avais fait, en refusant de m'aveugler sur l'échec de mon mariage, à vingt ans, sans métier, sans argent, avec un tout jeune enfant, il fallait du courage. J'avais su réfléchir, tout remettre en question, oser. Je n'étais donc pas si faible que ça!

Je revis mes débuts. Un jour, un photographe m'avait

17

abordée dans une rue de Québec et m'avait demandé si je me laisserais photographier pour la couverture du magazine *Châtelaine* qui faisait un numéro spécial sur "la belle Québécoise". Bien entendu, j'avais accepté. Quand il m'avait fallu assurer ma subsistance, je ne possédais que ce reportage et c'était avec cet unique atout que je m'étais présentée dans une agence de mannequins, sans rien cacher de mon désarroi et de mon urgent besoin de travailler. Cela avait marché chez Pauline Foster.

Il me fallut bien admettre que, des centaines de jeunes filles qui se tournent vers cette carrière qui débouche parfois sur le cinéma ou la télévision, très peu réussissent à "passer". Et moi, j'avais "passé". Cela signifiait tout de même quelque chose ... Enfin, de souvenirs en analyses et d'expériences en émotions, je repris contact avec mon moi. Je commençai à faire la part des choses et à m'interroger sur ce qui m'intéressait vraiment. Je découvris que j'aime profondément la vie, que j'ai les deux pieds bien ancrés dans la réalité et que, si vulnérable et sensible que je sois, je suis parfaitement capable de faire face, de me tenir debout. Je découvris la puissance étonnante de mon subconscient, toujours prêt à me guider, du moment que je m'écoute et que je me fais confiance. Ce fut ainsi que je mis le doigt sur l'essentiel: s'aimer pour ce que l'on est et vouloir grandir chaque jour un peu plus, sans se laisser arrêter par ses échecs, en sachant évaluer ses progrès, en évitant le piège de l'insécurité.

Cette prise de conscience s'effectua tranquillement, au cours des deux années qui suivirent ma défaillance. Désormais certaine de ce qui avait réellement de la valeur pour moi, je me remis à travailler. La partie était gagnée, dans une certaine mesure du moins. Ainsi, tandis que j'écris ce livre, je sens ce fameux trou de mémoire qui me menace comme une épée de Damoclès, mais cette sensation s'efface très vite dès que je reprends mon stylo et j'en arrive à m'étonner moi-même!

En fait, quand on sait exactement ce qu'on veut, quand on connaît la direction à suivre, quand on a résolu le "comment" et le "pourquoi", tout devient beaucoup plus facile. Il reste à mettre ses principes en pratique, à se dépasser.

Et, un jour, je me suis dit à voix haute: "Oui, je suis intelligente!" J'avais trente-cinq ans.

Avant, jamais je n'aurais osé penser une telle chose. Mais, ce jour-là, j'en étais convaincue. La route avait été longue.

2

Refuser «d'être» pour le plaisir de l'homme

LOIN de moi l'idée, dans les pages qui précèdent, de vouloir monter mon cas en épingle. Je me suis simplement servie de mon propre exemple — qui est, après tout, celui que je connais le mieux — pour démontrer qu'on peut toujours s'en sortir en changeant ses faiblesses en atouts. Cela implique parfois une totale remise en question, aussi bien sur le plan physique que sur le plan moral, tant il est vrai que la fameuse maxime "un esprit sain dans un corps sain" vaut pour tous les aspects de la vie. Pour la femme, d'ailleurs, l'élément physique intervient à deux niveaux: la santé proprement dite et l'obsédante nécessité d'être, ou de paraître, "belle" qui a surtout fait le bonheur des hommes — qu'on pense aux époux enchantés de susciter l'envie de leurs congénères, aux fabricants de cosmétiques ou aux grands couturiers. Comme la santé fait l'objet de la première partie, nous verrons ici le second point.

Quelle femme n'a pas rêvé, un jour ou l'autre, d'envoyer promener tout le sacro-saint attirail de la "féminité", du rimmel aux talons aiguilles? Surtout que rien n'est plus malsain que ces exigences d'une mode qui n'a jamais tenu compte de notre bien-être; on pourrait parler des produits de maquillage qui empêchent la peau de respirer, des guêpières, gaines, cor-

sets et autres instruments de torture qui nuisent, entre autres
choses, à la circulation sanguine, des talons hauts qui provo-
quent entorses et déformations de la colonne vertébrale, ou
des stupides régimes anémiants qui ne permettent qu'une
minceur aussi éphémère qu'obligatoire. D'où vient, alors, que
nous nous soumettions, avec une unanimité presque sans
faille, à cette obligation qui nous pèse parfois tellement? Et
pourquoi quand, par hasard, nous nous laissons aller un peu,
éprouvons-nous un vague sentiment de malaise comme si
nous avions violé un tabou?

Quand on y réfléchit, cependant, la réponse n'est guère
difficile à trouver. Depuis l'aube des temps et dans la plupart des civilisations, la nécessité d'être belle a toujours été
perçue comme une sorte de devoir, inhérent au fait même
d'être femme. Et malgré les récents progrès, la femme est toujours considérée comme un objet esthétique, symbole de
réussite au même titre qu'une maison somptueuse ou une voiture de luxe. Elle ajoute au standing; elle en est un élément
indispensable puisque, outre sa beauté personnelle, elle sert
de vitrine ambulante à son compagnon — ou à son patron —
qui peut ainsi montrer où il en est rendu dans son ascension
de l'échelle sociale (c'est-à-dire financièrement, bien entendu). Qui plus est, quoique celui-ci n'exerce généralement pas
de pressions de manière autoritaire, ni même flagrante, il
n'en considère pas moins cela comme un dû. Car il ne faut
pas oublier que, dans certaines sociétés, la femme s'achète
contre un ou deux chameaux ou quelques chèvres et que,
plus rusé, l'homme occidental fait d'une pierre deux coups: il
devient propriétaire de sa femme et touche la dot! Un exemple encore: si les bergères épousent parfois des princes, le
contraire est infiniment plus rare, et si la société accepte fort
bien de voir une toute jeune fille livrée à un vieillard chenu,
elle se scandalise ouvertement et crie bien haut sa répugnance
quand le couple se compose d'une femme visiblement plus
âgée que son compagnon. Il est toujours très mal vu d'inver-
ser les rôles dans ce domaine. Être femme, aimer et l'afficher
sans se préoccuper de l'âge est une chose intolérable, tandis

22

que le fait d'être belle, jeune (de préférence) et entre "bonnes mains" est tout à fait dans l'ordre des choses . . .

Le plus triste, dans tout ça, c'est qu'on nous élève, dès le plus jeune âge, dans la conviction que notre valeur est inexorablement liée à notre capacité de séduire et de plaire. L'intelligence, le savoir-faire, l'érudition sont d'autant plus mal vus qu'il s'agit de qualités réservées aux hommes et il n'est pas question pour nous de piétiner leurs plates-bandes. C'est pourquoi, finalement, l'obligation d'être belle est devenue une véritable obsession pour tant de femmes. Le maquillage, les bijoux, l'observance stricte des modes successives leur sont autant de masques qui leur servent à la fois de défenses et de compensation pour leur personnalité étouffée. Elles y trouvent un ensemble de conduites gratifiantes, inaccessibles aux hommes et que ceux-ci, quelquefois, leur envient. Reste à savoir s'ils ne changeraient pas d'idée si ce désir, souvent légitime, se transformait pour eux aussi en une loi suprême qui finit par donner aux femmes l'impression de n'être plus qu'un masque, une enveloppe. Mais une enveloppe de quoi? C'est ça qui est angoissant. Et c'est pour cette raison que nous refusons tout témoin lorsqu'il nous arrive de rejeter le "carcan" de la beauté, histoire de nous retrouver pendant un bref moment. Les hommes, eux, n'ont pas à se cacher pour se voir tels qu'ils sont . . .

Alors que l'homme n'a besoin que de sa brillante intelligence et de sa puissante personnalité, la femme qui cesse d'être un plaisir pour les yeux cesse du même coup d'exister, peu importe sa personnalité, son esprit, son intelligence! Car si sa présence n'éveille aucun écho dans la sexualité de l'homme, celui-ci ne lui reconnaîtra tout au plus que le droit d'essuyer quelques sarcasmes féroces et humiliants . . . Sans doute parce que les hommes ont besoin de se voir confirmer ainsi leur virilité! Il s'agit ici d'un phénomène très complexe d'attirances, de rapports, d'échanges, qui, d'une certaine façon, rend l'homme dépendant de la femme. C'est pourquoi quand celle-ci se refuse à employer les armes de la séduction, elle devient pour lui une source de conflit et même, à la limite, de répulsion.

J'ai été profondément amusée, ces dernières années, par une certaine revanche des femmes, sur la Croisette, pendant le Festival de Cannes : j'étais contente de voir triompher sur la plage, la poitrine nue et fière, toutes ces filles dont le visage ne rappelait en rien celui de Néfertiti, mais qui, par contre, possédaient un corps invitant et provocateur ; une petite déviation qui me faisait penser, l'espace d'un instant, à la vue de ces mâles éberlués : "Justice est faite." Il va sans dire que la solution n'est pas aussi simple !

Et puisque nous parlons de solution, voyons un peu celles qui sont à la portée de toutes les femmes, sans exception.

Le premier pas consiste à faire place nette dans sa tête, à se débarrasser, dans la mesure du possible, de tous les préjugés et idées toutes faites dont on nous a matraquées. Il faut avoir l'esprit totalement libre afin de pouvoir déterminer ce qu'on espère réellement de la vie et se fixer des buts. Quelles sont les choses que vous aimez, qui vous intéressent ? Qu'auriez-vous voulu faire de votre vie ? Qu'est-ce qui vous en a empêchée ? Qu'est-ce qui vous serait possible si vous mettiez un terme à certaines contraintes ? Est-il vraiment inéluctable que vous n'ayez jamais droit à des moments de répit, sans enfants, sans mari ; que vous ne puissiez jamais vous accorder la priorité ; que vous vous sentiez honteuse et malheureuse si vous n'avez pas êtê gâtée par la nature ou que vous ne puissiez échapper au rituel du maquillage quotidien, du coiffeur hebdomadaire, de la mode impitoyable ?

Tout bien pesé, il n'y a qu'une seule chose qui importe vraiment : vous sentir bien dans votre peau. Tout le reste suivra comme par enchantement. C'est pourquoi vous devez vous faire à l'idée de vous montrer telle que vous êtes, intérieurement et extérieurement. Laissez tomber le masque. Cela risque d'être plus ou moins difficile sur le plan moral, mais c'est beaucoup plus aisé en ce qui a trait à votre apparence.

Tout d'abord, étudiez-vous à fond, sans tricher, devant

un miroir mural. Observez l'éclat et la souplesse de votre chevelure, votre peau, votre maintien, votre poids et votre grandeur. Ce dernier point pourra en étonner certaines, mais il n'est pas dépourvu d'importance, bien au contraire: pendant longtemps, je me suis vue comme une grande femme, semblable aux mannequins des revues de mode, à cause de ma minceur et de mes longues jambes; ce qui fait que je m'achetais des vêtements beaucoup trop lourds pour moi, parfaits pour une femme de cinq pieds sept, mais non pour quelqu'un de cinq pieds quatre! Après cet examen, voyez les mesures à prendre: des exercices physiques, sûrement, une visite chez le coiffeur ou l'esthéticienne, peut-être. Je vous suggère de prendre des notes pour ne jamais oublier vos décisions. Ainsi, si vous avez décidé de perdre quelques livres, affichez votre poids idéal sur le miroir de la salle de bains ou sur la porte du réfrigérateur. Le but fixé est beaucoup plus facile à atteindre quand on sait exactement de quoi il retourne.

Ensuite, renoncez au maquillage excessif, aux accessoires encombrants. Ce ne sont pas vos bijoux, vos vêtements dernier cri ou vos faux cils qu'on doit remarquer. C'est à vous que les autres s'adressent, c'est vous qu'ils respectent, en se fiant à votre vrai visage, à votre beauté naturelle. Il m'a fallu une éternité pour arriver à me persuader de mon caractère unique, original. Avant, je me croyais tenue de jouer le jeu pour être belle, acceptée et aimée; toutes ces heures que j'ai passées à me maquiller minutieusement, à courir les boutiques pour suivre la mode, j'aurais pu les consacrer à des activités autrement plus enrichissantes pour moi-même comme pour mon entourage. Sans compter le fait que je me sentais profondément mal à l'aise parce que j'étais loin d'être en accord avec moi-même sous ce que je pourrais presque qualifier de déguisement. Pareille attitude n'a rien à voir avec la véritable beauté qui est le fruit de l'épanouissement, dans son corps comme dans sa tête. Il faut savoir adapter la mode à ses goûts personnels et non se laisser asservir par elle, de même qu'il ne faut pas prendre pour paroles d'évangile toutes les règles artificielles imposées par la société et qui vont bien souvent à l'encontre de nos propres aspirations.

Si vous le voulez vraiment, vous pouvez être belle et resplendissante de santé, respirer l'authenticité et la joie de vivre, inspirer la confiance et la tendresse. C'est la seule façon de parvenir à une certaine qualité de vie et de conserver votre enthousiasme. C'est également une question de dignité envers vous-même, de respect envers la vie qui vous habite et les talents que vous possédez.

Pour en arriver là, toutefois, vous avez besoin de déployer toute l'énergie qui est cachée en vous et cela ne vous sera possible que si vous vous occupez sérieusement de cette merveilleuse machine qu'est le corps humain, votre corps. Il est difficile d'avoir un bon moral quand on est en mauvaise santé. Après tout, vous n'hésitez pas à prendre soin de vos appareils électro-ménagers, à faire reviser régulièrement votre voiture, à rénover votre maison ou votre appartement. Pourquoi en irait-il autrement de votre propre corps qui est ce que vous possédez de plus précieux? Si tout s'achète dans notre société de consommation, ne perdez pourtant jamais de vue que seule la santé n'a pas de prix. C'est pourquoi j'y ai consacré les prochains chapitres.

3

Manger, c'est d'abord se servir de sa tête

VOULOIR à tout prix s'alimenter sainement à notre époque envahie par les produits synthétiques de toutes sortes semble parfois relever de l'utopie la plus délirante. En effet, à cause des changements socio-économiques qui ont marqué le XXe siècle — urbanisation, croissance démographique, entrée massive des femmes sur le marché du travail, hausse du niveau de vie —, on assiste à l'industrialisation irréfrénable d'un des secteurs les plus cruciaux pour la santé, celui de l'alimentation. Or, quand on constate que la consommation annuelle de produits surgelés dépasse, aux États-Unis, trente-quatre kilos par personne et que le chiffre d'affaires, également annuel, de l'industrie alimentaire s'élève à quelque cinquante milliards de dollars, on est en droit de s'alarmer. Non pas que les aliments futuristes qui envahissent déjà notre table soient tous totalement artificiels, puisqu'ils sont encore, pour la plupart, élaborés à partir de produits naturels, mais leur structure, elle, est modifiée par l'homme. Et c'est là que réside le danger: dans l'interaction biochimique de ces nouveaux composants dont nous ignorons tout.

Quoique la révolution alimentaire ait maintenant gagné tous les pays occidentaux, c'est surtout aux États-Unis — donc aussi chez nous — qu'elle est en pleine expansion, et ce, sans faire l'objet de véritables contrôles scientifiques. C'est justement ce que dénonce le professeur Ross Hume Hall, biochimiste réputé d'Ottawa et membre du Conseil de l'environnement: près de 80% des calories absorbées par les Américains proviennent d'aliments transformés industriellement! Fiers de leur nouvelle technologie et n'ayant d'autre souci que celui d'une productivité sans cesse accrue, la plupart des nutritionnistes jouent aux apprentis sorciers. Or, déclare le professeur Hall: "Le danger, c'est la pauvreté de nos connaissances concernant la nutrition de l'homme. Nous ne savons rien de la manière dont nous affecte ce système agro-alimentaire transformé. (...) Même si les techniciens s'efforcent de copier du mieux possible l'aliment naturel, ils n'y parviendront pas. Parce que la liste des éléments nutritifs est incomplète et que nombre de facteurs essentiels pour la santé restent à découvrir. Et, surtout, parce que la science ne sait pas recréer les liaisons moléculaires, les interactions biochimiques de l'aliment naturel. Si minutieusement reconstitué soit-il, un aliment synthétique ne ressemble pas plus au produit naturel qu'une maison en bois ne ressemble à une forêt."

Le professeur Hall cite, à l'appui de ses allégations, une expérience réalisée à l'Université de l'Illinois sur deux groupes de rats dont l'un avait été nourri avec des oeufs de poule et l'autre avec des oeufs synthétiques. L'expérience prit fin d'elle-même au bout de trois semaines: tous les rats du second groupe étaient morts! Pourtant, ces oeufs synthétiques sont vendus dans le commerce aux États-Unis parce qu'ils ont satisfait aux contrôles toxicologiques. Mais, POUR PROUVER QU'UN ALIMENT EST SAIN, IL NE SUFFIT PAS D'ÉTABLIR QU'IL N'EST PAS TOXIQUE! L'amidon constitue un autre exemple flagrant. Comme il se conserve mal à l'état naturel et ne résiste pas aux traitements industriels, on a inventé un substitut qui est fréquemment ajouté aux mayonnaises instantanées et aux aliments en pot pour bébés. On a cependant observé, sans pouvoir comprendre pourquoi, que les rats ont beaucoup de difficulté à digérer cet amidon modifié. Malgré ça, celui-ci est toujours en circulation!

Protides, lipides, glucides, partout la tendance est à la transformation des éléments nutritifs de base. Demain, l'industrie agro-alimentaire sera semblable à celle de l'automobile. Un premier secteur traitera la matière première à la façon de l'industrie lourde, un second se chargera des adjuvants comme les entreprises qui fabriquent les pneus, les sièges ou les rétroviseurs, et un troisième assemblera toutes les pièces pour fournir des aliments préfabriqués. Est-ce vraiment un progrès? Rien n'est moins sûr et il serait grand temps que le consommateur s'interroge ... Il est inutile d'être un écologiste chevronné pour dénoncer certains produits alimentaires en raison des traitements qu'ils subissent, d'autant plus qu'il est impossible de se fier totalement aux contrôles et réglementations. En effet, les examens toxicologiques préalables s'effectuent uniquement produit par produit. Mais toutes les substances chimiques, additifs et colorants alimentaires, teintures pour les cheveux, polluants atmosphériques s'accumulent dans les mêmes organes de l'homme, soit le foie et les reins. C'est pourquoi il est nettement insuffisant de fixer une dose maximale par produit seulement, parce qu'on laisse entier le problème de l'accumulation et de l'interaction dans l'organisme. Qui plus est, en dépit des expériences effectuées sur les animaux, les contrôles toxicologiques ne tiennent pas réellement compte du facteur temps qui est particulièrement important en ce qui a trait aux éventuels effets cancérigènes d'une substance!

C'est pour toutes ces raisons que les gens soucieux de leur santé doivent prendre leurs responsabilités et repenser complètement leur comportement alimentaire, c'est-à-dire qu'ils doivent remettre en question ce qu'ils mangent et la façon dont ils mangent. La technologie et le rythme de vie moderne ont bouleversé notre système régulateur (satiété, besoins, carences). Par exemple, dans les "snack-bars" ou les cantines, nous avalons notre ration calorifique en dix minutes à peine, alors que la satiété ne peut se faire sentir avant au moins un quart d'heure. C'est pourquoi nous mangeons trop quand nous mangeons trop vite. On peut éliminer cette aberration en ajoutant de la cellulose ou des fibres aux aliments pour diminuer leur valeur calorifique et augmenter leur volume, mais la vraie solution réside ailleurs: nous devons réapprendre à manger lentement.

Tout est à refaire en ce domaine: apprendre à mieux connaître ses besoins nutritifs, rééduquer le goût, découvrir de nouveaux aliments à la fois bons et sains, retrouver l'art de manger ensemble, disparu depuis l'avènement de la restauration-minute. On oublie toujours que les aliments permettent aux cellules de notre corps de se régénérer et que c'est justement pour ça que nous devons nous préoccuper de ce que nous mangeons. Sinon, nous ignorerons peut-être la faim, mais nous serons loin d'être en bonne santé. Malheureusement, les aliments contiennent l'incroyable proportion de 90% d'agents de conservation, de matières chimiques, de sucre et d'additifs de toutes sortes. D'où l'importance de modifier de fond en comble notre comportement alimentaire.

Il s'agit là d'un travail de persuasion où il faut se servir de sa tête. Au lieu de manger uniquement pour satisfaire son appétit, sa gourmandise ou pour le "goût" des aliments — soit dit en passant, l'éducation des Québécois est lamentable à ce niveau —, nous devons nous interroger sur le contenu de nos assiettes: qu'est-ce que je m'apprête à manger, quel effet auront ces aliments sur ma santé, mon bien-être, ma beauté, mon énergie? Vont-ils me nuire, me faire engraisser, empoisonner mon organisme?

Après tout, nous nous inquiétons de la qualité des produits que nous achetons, soucieux d'en "avoir pour notre argent". Mais notre santé n'est-elle pas plus importante qu'un appareil électro-ménager ou une voiture? Pourtant, c'est le domaine que nous négligeons le plus avec une indifférence inacceptable surtout quand, par surcroît, nous avons des enfants à éduquer: nous leur apprenons à traverser la rue, mais non à se nourrir sainement. Devant pareille incohérence, il faut, incontestablement, repartir à zéro en bannissant de la table tout ce qui est nuisible et en y imposant des aliments frais et naturels: fruits, légumes, pain de blé entier, etc. Il s'agit ni plus ni moins de rééducation, de désintoxication. Du moment qu'on adopte, à cet égard, une attitude positive, bien des plats qui paraissaient peu appétissants font rapidement les délices de tous. C'est ce qui s'est passé avec mon mari qui ne mangeait que du pain blanc, pas de poisson, pratiquement pas de légumes, trop de sel et de sucre. Aujourd'hui, il raffole des produits de la mer, ne mange strictement que du pain de blé entier à six grains, beaucoup de légumes — surtout dans les restaurants vietnamiens qui les préparent de façon experte —, pas de sel ni de sucre. Il m'a fallu trois mois pour modifier les habitudes alimentaires de Pierre Brousseau, mais, maintenant, il m'est reconnaissant de lui avoir fait découvrir la "vraie" cuisine et de lui avoir rendu une santé de fer. Il faut donc cesser de se demander uniquement si les aliments sont bons au goût pour ne s'occuper que de leur valeur nutritive. Un aliment n'est "bon" que s'il nous permet de rester en santé. Cela ne l'empêche pas d'être également délicieux, mais ce dernier point ne doit pas primer sur le précédent. Du reste, les gourmets qui pourraient craindre de se voir privés de plaisirs gastronomiques par une alimentation nouvelle seront peut-être rassurés par cette déclaration du professeur Jacques Le Magnen, directeur du Laboratoire de neurophysiologie sensorielle et comportementale, au Collège de France: "C'est un faux problème. Nous pouvons très bien être attachés à des goûts traditionnels et ouverts à des parfums nouveaux. Les animaux ne connaissent pas de tabous. Alors que nous, nous sommes enfermés dans des conditionements alimentaires parfois graves de conséquences, mais qui n'ont pas de fondements physiologiques. Si nous le voulons, nous pouvons nous offrir de nouveaux aliments et de nouveaux plaisirs: la feuille de baobab, convenablement aromatisée, est délicieuse. Et le coca-cola, un des rares goûts nés de l'imagination, n'empêche pas d'apprécier le bon vin." Et voilà!

Pour se maintenir en bonne santé, tout comme pour perdre du poids d'ailleurs, il faut diminuer la consommation de viande rouge qui est très riche en cholestérol, et mettre l'accent sur le poisson, les fruits de mer, la volaille. Bon nombre de gens perdent plus rapidement du poids lorsqu'ils éliminent les viandes rouges de leur régime.

Il est également important de boire beaucoup d'eau (de quatre à huit verres par jour), mais, bien entendu, pas en mangeant. Toutes les boissons gazeuses ("diète" ou pas) sont très mauvaises pour la santé. Et si vous pouvez vous passer de sel, n'hésitez pas! Pour vous aider, ne mettez plus la salière sur la table, c'est radical; pensez plutôt aux fines herbes comme assaisonnement. Vous gagnerez sur les deux tableaux: saveur et santé.

Les modes de cuisson sont, eux aussi, très importants. Apprenez à différencier surtout les huiles quand vous cuisinez. Celles d'avocat, de maïs, d'arachide, de tournesol, de germe de blé et de soja sont excellentes parce qu'elles ne forment pas de dépôts graisseux qui encrassent les parois des artères (cause de l'artériosclérose). Vous pouvez également utiliser le fromage naturel, la margarine — si elle ne contient pas d'huiles ou de graisses hydrogénées — et le beurre d'arachide naturel (c'est-à-dire celui qui n'est pas vendu dans les supermarchés . . .). Supprimez radicalement l'huile de noix de coco, le beurre, le lard, les fromages traités et la crème.

Voyons maintenant les légumes. Il faut tout d'abord que vous sachiez qu'ils sont très délicats. Vous aurez donc tout intérêt à les acheter "à l'européenne", c'est-à-dire en vous limitant à la quantité qui sera consommée dans les prochains jours; c'est le contraire de cette manie qu'ont les Nord-Américains de stocker. Les fruits et légumes perdent rapidement leur fraîcheur ainsi que leurs vitamines, à l'exception des oignons et des citrons. Mangez-les crus le plus souvent possible et ne lésinez pas sur les jus de légumes frais (nous reviendrons plus loin sur ce point). Seule la cuisson à l'étuvée permet de conserver aux légumes leurs vitamines et leurs sels minéraux. Prenez garde, également, de ne pas en prolonger indûment la cuisson parce que la chaleur détruit leurs éléments nutritifs. D'autre part, il est ridicule de payer pour des légumes frais et riches en vitamines et de les éplucher, parce que celles-ci sont justement concentrées dans la pelure. Évitez de perdre la vitamine C qui s'oxyde et disparaît rapidement au contact de l'air, de la chaleur et de l'eau. Il vaut mieux trancher les légumes au-dessus d'une grande casserole d'eau déjà bouillante pour en accélérer la cuisson. Sinon, les enzymes se mettent à l'oeuvre et détruisent la vitamine C dont la moitié, au moins, se perd entre le couteau et l'assiette. Conservez aussi la vitamine A. Les feuilles extérieures, d'un beau vert sombre, des laitues contiennent vingt-cinq fois plus de vitamine A que les feuilles intérieures, plus jolies et plus blanches. Il est toujours préférable d'acheter les produits locaux parce qu'ils sont plus frais et moins chers. Ils sont excellents pour le côlon et contre l'excès de cholestérol. Les plantes à fibres, dites "de fourrage", circulent dans le petit et le bas intestin, entraînant avec elles la bile et le cholestérol, ce qui a pour effet d'empêcher l'organisme de réabsorber des déchets dangereux. Enfin, préparez beaucoup de salades, surtout au yogourt, cet aliment miracle. Voici, en passant, un assaisonnement excellent et qui se prépare en un rien de temps:

1 jaune d'oeuf dur écrasé

1 jaune d'oeuf cru

1 cuillerée à thé de moutarde sèche

2 tasses de yogourt

2 cuillerées à thé de jus de citron

1 pincée d'un substitut du sel

Un autre facteur indissociable d'une alimentation saine, c'est de manger trois repas équilibrés par jour. Dans le cas contraire, vous vous sentirez tiraillée par la faim et serez davantage portée à manger beaucoup trop vite et n'importe comment. Le rythme d'absorption est d'une importance primordiale: vous devez permettre aux sucs digestifs de faire leur travail d'assimilation. En mangeant lentement, vous mangerez également moins, tout en vous sentant aussi rassasiée avec moitié moins de nourriture, que si vous avaliez tout rond. Prenez votre temps, déposez votre fourchette, mastiquez à fond et n'hésitez pas à faire une pause après la troisième bouchée. C'est aussi une bonne chose que de faire un peu d'exercice avant de passer à table. De cette façon, vous serez plus détendue et bien moins portée à vous jeter sur votre assiette. Pourquoi faut-il prendre le temps de manger lentement? Parce qu'il faut une demi-heure au sucre du sang pour remonter jusqu'au cerveau et éliminer la sensation de faim. À défaut de pouvoir faire une courte promenade ou un peu d'exercice avant le repas, prenez un jus de légumes dix minutes plus tôt. Ce faisant, vous aurez moins d'appétit et ne risquerez pas d'accumuler des calories indésirables.

Il est possible, à cause de notre mauvaise éducation alimentaire, que certaines d'entre vous trouvent ces conseils rébarbatifs. C'est pourquoi j'ai préparé quelques tableaux révélateurs et un "menu-santé" d'une semaine qui est non seulement parfaitement équilibré et fait merveille pour l'organisme, mais peut être suivi toute l'année, été comme hiver. Avant, toutefois, je voudrais insister sur la nécessité de bien connaître son corps et d'apprendre à se soigner soi-même. Qui d'entre vous saurait préciser, à brûle-pourpoint, où est situé son pancréas et quel est son rôle ... Il est vraiment étrange que nous ignorions à peu près tout de notre corps, cette merveilleuse machine qu'on dit la plus complexe, la plus belle et la plus étonnante de toute la création. Pour ma part, je ne peux accepter qu'on nous enseigne tant de choses qui n'ont qu'un rapport lointain avec nous-mêmes et, pour ainsi dire, rien sur le fonctionnement de notre organisme. Il vaudrait beaucoup mieux apprendre aux enfants l'emplacement et le rôle des organes avant de leur parler de la lune et, surtout, leur inculquer des habitudes de vie saines. La santé n'est-elle pas le plus précieux des biens? Devant de pareilles lacunes, vous devez apprendre à devenir votre propre médecin. On ne doit pas perdre de vue que, dans notre société, la médecine n'est pas préventive. Généralement, nous n'allons voir un spécialiste que lorsque la maladie s'est déjà installée en nous. Dans l'ancienne Chine, les Chinois payaient leur médecin tant et aussi longtemps qu'ils restaient en bonne santé et cessaient de lui verser des honoraires s'ils tombaient malades. Ils considéraient que, dans ce cas, le docteur avait mal fait son travail! Bien entendu, cela supposait que celui-ci était compétent et que le "patient" suivait ses directives. Cette tradition, qui pourra nous sembler cocasse, témoigne néanmoins de l'importance de la médecine préventive.

Pour pouvoir devenir votre propre médecin, apprenez tout d'abord à reconnaître les avertissements de votre organisme et à vous soigner dès l'apparition du premier symptôme, avant que la situation ne s'aggrave. Des ouvrages comme *Les Secrets du règne végétal*, de Paul Coders, ou *Mon herbier de santé*, de Maurice Mességué, vous seront d'une grande utilité. Habituez-vous à recourir à des méthodes naturelles au lieu d'avaler des pilules pour un oui ou un non. Les magasins d'aliments naturels vendent tous des livres comme ceux-ci, lesquels sont une mine de renseignements sur les propriétés curatives des fruits et légumes. Vous découvrirez que bien des tisanes sont des laxatifs naturels, que l'ail aide à régulariser la circulation sanguine, qu'un citron dans de l'eau chaude avec un peu de miel non pasteurisé a un effet dépuratif et stimule le foie, et bien d'autres choses encore. Vous apprendrez à vous méfier de tout ce qui ressemble de près ou de loin à des colorants, additifs et agents de conservation, d'autant plus que nous sommes déjà inéluctablement condamnés à absorber des produits chimiques à notre corps défendant, à cause de l'air pollué, des insecticides, des engrais minéraux et j'en passe. Heureusement, nous pouvons compter sur les plantes (céréales et autres) pour nettoyer et soigner notre organisme. Tout bien considéré, puisqu'il nous faut vivre, aussi bien le faire en restant en bonne santé. Et confidence pour confidence, pour moi, la santé a toujours été synonyme de beauté!

QUELQUES TABLEAUX

Relation poids-ration calorifique quotidienne
(établie en fonction d'une activité physique normale et pour
une température de 60°F – 15°C)

Poids (en livres)	Ration calorifique nécessaire	
	25 ans	45 ans
99	1700	1550
110	1800	1650
121	1950	1800
128	2000	1850
132	2050	1900
143	2200	2000
154	2300	2100

Les achats les plus sains (faibles en calories, riches en vitamines): les fruits de mer

	Calories	Protéines	Calcium	B_1	B_2	Niacine
Homard (3 oz)	78	15,6 g	55 mg	0,03 mg	0,06 mg	1,9 mg
Crabe (3 oz)	89	14,4 g	38 mg	0,04 mg	0,05 mg	2,1 mg
Crevette (3 oz)	110	23,5 g	98 mg	0,01 mg	0,03 mg	2,8 mg
Saumon (3 oz) (en conserve)	122	17,4 g	159 mg	0,03 mg	0,16 mg	6,8 mg

Liste des quinze aliments les plus riches en protéines et les plus faibles en calories

Quantité	Aliment	Calories	Protéines
3 onces	Crevettes en boîte	100	21 g
3 onces	Crabe en boîte	85	15 g
3 onces	Saumon en boîte	120	17 g
4 onces	Fromage "Cottage" écrémé	85	17 g
3 onces	Poulet grillé	115	20 g
3 onces	Palourdes crues	65	11 g
3 onces	Poisson cuit au four	135	22 g
2,4 onces	Steak de ronde (maigre et grillé)	130	21 g
2,6 onces	Côtelette d'agneau (idem)	140	21 g
3 onces	Dinde rôtie	94	13 g
3 onces	Thon en boîte	170	24 g
3 onces	Viande hachée (maigre et grillée)	185	23 g
4 onces	Huîtres crues	80	10 g
1 once	Fromage suisse naturel	105	8 g
2 onces	Foie de boeuf à la poêle	130	15 g

MENU HEBDOMADAIRE

Lundi

	Calories
Petit déjeuner	
1 tasse de citronnade chaude	0
1 verre de "vitalité" (mélanger au malaxeur):	230
2 cuillers à soupe de protéines en poudre	
1 banane	
1 cuiller à soupe de lécithine granuleuse	
1 oeuf cru	
2 tasses de lait écrémé	
1 tranche de pain de blé entier, grillée	55
1 thé, café, Sanka ou tisane	0
Au milieu de la matinée	
1 verre de jus de légumes "V-8" avec	
1 cuiller à soupe de levure	100
Déjeuner	
1 salade niçoise	325
1 tranche de pain de blé entier	55
1 thé ou café	0
Au milieu de l'après-midi	
Mélanger au malaxeur:	
2 tasses de lait froid écrémé	
1/2 tasse de lait en poudre sans gras	
2 petites bananes	
1/4 cuiller à thé de muscade	118
Dîner	
1 salade d'épinards	200
6 onces de poisson grillé	150
Concombres frais	12
1/2 tasse de citronnade glacée (avec le zeste)	12
1 thé ou café	0

Avant le coucher
1/2 tasse de yogourt naturel ou
1 petite pomme   75

                    Total de la journée   1332

Mardi

Petit déjeuner
Voir lundi   285

Au milieu de la matinée
1 verre de jus de pamplemousse frais avec
1 cuiller à soupe de levure   100

Déjeuner
1 salade grecque   218
1 tranche de pain de blé entier   55
1 thé ou café   0

Au milieu de l'après-midi
Mélanger au malaxeur :
    Melon frais
    Ananas
    Fraises
    Glaçons (ajouter un par un quand le
    malaxeur est en marche)
1 verre   95

Dîner
2 tiges de céleri cru avec
4 onces de fromage "Cottage" écrémé   117
4 onces de dinde rôtie froide   304
1 tasse de gaspacho froid :   32
    Mélanger au malaxeur :
2 tomates pelées
3 tiges de céleri

1 petit concombre pelé
Laitue romaine
1/4 tasse de jus d'orange frais
1 jus de citron

Avant le coucher
1 petite poire ou
1/2 yogourt nature 75

Total de la journée 1281

Mercredi

Petit déjeuner
Voir lundi 285

Au milieu de la matinée
1/2 tasse de yogourt avec 100
1 cuiller à thé de miel non pasteurisé

Déjeuner
1 "Sandwich-Midi": 375
Étendre de la mayonnaise sur du pain brun
à six grains, ajouter des tranches d'avocat
et de tomate, recouvrir de fromage doux à
base de lait cru. Mettre au four jusqu'à ce
que le fromage fonde et parsemer de graines
de sésame.

Au milieu de l'après-midi
1 tasse de bouillon de légumes chaud avec 40
1 cuiller à soupe de levure
Pour le bouillon: faire mijoter pendant plusieurs
heures dans deux tasses d'eau (portion hebdomadaire): carottes lavées et non pelées, haricots ou
petits pois, tiges de champignon, céleri avec les
feuilles, oignons pelés, cresson, épinards, une

feuille de laurier. Ajouter du poivre frais moulu
et du sel marin au moment de servir.

Dîner

1 tasse de consommé froid	75
1 petit poulet de Cornouailles (suffisant pour	250
une personne): l'arroser de jus de citron,	
parsemer de morceaux de margarine et déposer	
quelques tranches de citron sur la poitrine;	
mettre au four pendant 45 minutes à 350°F	
(177°C) et faire griller durant les 10	
dernières minutes.	
1 salade verte	25
Haricots cuits à la vapeur	25
1 pamplemousse arrosé d'essence de cannelle	
et passé au four à 350°F (177°C)	70
1 thé ou café	0

Avant le coucher

1/2 tasse de yogourt ou	100
1 tasse de lait écrémé chaud avec	
1 cuillerée à soupe de miel ou	
1 poire	
Total de la journée	1345

Jeudi

Petit déjeuner

Voir lundi	285

Au milieu de la matinée

1 verre de jus de tomate avec	100
1 cuillerée à soupe de levure	

Déjeuner
1 salade d'oeufs durs avec champignons et épinards crus	220
1 tranche de pain de blé entier, grillée	55
1 tisane	0

Au milieu de l'après-midi
1/2 tasse de yogourt avec 1 cuiller à thé de miel et 1 cuiller à thé de germe de blé	140

Dîner
1 tasse de bouillon de légumes (voir mercredi)	40
1 salade de tomates	35
Asperges en vinaigrette	175
1 portion de saumon cuit au four	204
1 coupe de dessert aux fruits:	48

Mélanger au malaxeur:
1-1/2 tasse de jus d'orange frais
3/4 tasse de jus de citron frais
3 bananes
3 tasses d'eau froide
2 tasses de lait écrémé
Refroidir avant de servir

1 thé, café ou café Sanka	0

Avant le coucher
1/2 tasse de yogourt ou
1/2 tasse de lait écrémé avec du miel	100
Total de la journée	1402

Vendredi

Petit déjeuner
Voir lundi	285

Au milieu de la matinée
1 verre de jus de légume avec   100
1 cuiller à thé de levure

Déjeuner
1 salade italienne :   190
    Tapisser une assiette de feuilles de cresson
    ou de laitue, recouvrir de tranches minces de
    tomate bien mûre. Assaisonner avec du basilic,
    du poivre noir frais moulu et du sel marin.
    Ajouter d'autres tranches de tomate, puis du
    fromage Mozarella et arroser de jus de citron
    et d'huile d'olive
1 tranche de pain de blé entier, grillée   55
1 café ou thé   0

Au milieu de l'après-midi
Voir lundi   118

Dîner
    Laitue arrosée de vinaigrette et crabe en boîte   100
1 poulet (de bonne qualité)   250
    Asperges cuites à la vapeur et arrosées de   25
    jus de citron
1 coupe de salade de fruits frais   80

Avant le coucher
1 petite pomme   80

                  Total de la journée   1283

Samedi

Petit déjeuner
Voir lundi   285

Au milieu de la matinée
1 verre de jus de pamplemousse frais avec   100
1 cuiller à soupe de levure

Déjeuner
1 salade "Brunch"   400
   Légumes, fruits, fromage, champignons ou
   viande froide, jusqu'à concurrence de 400
   calories

Au milieu de l'après-midi
1/2 tasse de yogourt ou de lait écrémé   75

Dîner
   Artichauts en vinaigrette   75
   Côtelettes d'agneau grillées assaisonnées de   250
   basilic et de jus de citron
   1/2 tasse de zucchini cuit à la vapeur et arrosé   18
   de jus de citron
   1/2 tasse de carottes cuites à la vapeur et arrosées   25
   de sauce au soja
   1/2 tasse de fraises arrosées de jus d'orange frais   25

Avant le coucher
1/2 tasse de yogourt   80

                  Total de la journée   1333

Dimanche

Petit déjeuner
Voir lundi   285

Au milieu de la matinée
1 grosse orange   75

Déjeuner
1 salade marocaine (agneau froid et légumes crus)   225
1 tranche de pain de blé entier, grillée   55
1 thé aux herbes   0

Au milieu de l'après-midi
1/2 tasse de yogourt avec du miel   100

Dîner
1 tasse de soupe aux palourdes   100
6 onces de foie de veau sauté   160
1/2 tasse de brocoli arrosé de jus de citron   50
1 tomate grillée assaisonnée de basilic   25
1/2 tasse de pruneaux à la neige: 125
   Battre 5 blancs d'oeuf en neige, recouvrir de
1 tasse de pruneaux réduits en purée et de
2 cuillers à thé de jus de citron
   Laisser refroidir au réfrigérateur

Avant le coucher
1/2 tasse de lait écrémé   75

                        Total de la journée   1275

L'UNIVERS DES VITAMINES

Les vitamines, de même que les minéraux, constituent un univers infiniment complexe et encore assez mal connu. Mais il y a une chose dont on est certain, c'est qu'elles sont indispensables au bon fonctionnement de l'organisme et que leurs effets varient d'un individu à l'autre. Comme elles sont à la base d'une industrie qui rapporte des millions et qui s'impose au consommateur grâce à une publicité soigneusement planifiée, on voit tout de suite combien il est important d'en savoir le plus possible à leur sujet et de ne pas courir chez le pharmacien chaque fois qu'un message publicitaire est diffusé. Mais on n'aura pas besoin de prendre cette peine si on connaît bien son organisme, ses besoins et ses faiblesses, et si on a pris l'habitude de s'alimenter sainement puisque vitamines et minéraux existent en abondance dans les céréales, fruits et légumes, certaines viandes, le poisson, etc. Néanmoins, à cause des rigueurs de notre climat, de la pollution et d'autres facteurs négatifs inhérents au mode de vie moderne,

nous avons fréquemment besoin d'un supplément de vitamines. Sauf dans le cas de la vitamine A, on n'a pas à craindre
de dépasser légèrement les doses nécessaires pour demeurer
en forme parce que ces substances se dissolvent dans l'eau, ce
qui permet au corps de rejeter tout superflu. Ceci dit, il demeure tout de même essentiel de consulter son médecin dès
qu'on s'aperçoit qu'on manque de vitamines (en vérifiant,
auparavant, s'il s'y connaît, ce qui n'est pas toujours le cas),
parce que les informations répandues par les spécialistes ou
ceux qui se prétendent tels sont contradictoires et que, de
toute façon, nos besoins varient constamment. En absorbant
pendant des années des vitamines dont l'organisme n'a que
faire, on risque de nuire à sa santé au lieu de la fortifier.

Propriétés des vitamines

Vitamine A: Agit sur la peau, les cheveux, les ongles, les
dents et les yeux. Il est presque impossible d'en manquer
parce qu'elle s'accumule dans l'organisme, d'où la possibilité
d'un excès. Comme elle a besoin du gras pour être efficace,
cela pourrait poser certains problèmes à celles qui veulent
éliminer les matières grasses de leur alimentation. Dans ce cas,
il leur suffira de manger une carotte râpée chaque jour et
l'effet sera même triplé avec du foie de boeuf. La vitamine A
se trouve également dans l'huile de foie de morue et le lait
entier.

Vitamine B$_1$ (thiamine): Essentielle pour la vitalité, la toni-
cité, les cheveux et la peau. Son besoin augmente avec l'absorption excessive d'hydrates de carbone, les situations stres-
santes, une température trop froide ou trop chaude. Elle
existe en abondance dans la levure de bière, le germe de blé,
les graines de tournesol, les amandes, les pacanes (noix pécan)
et les cachous (noix d'arec).

Vitamine B$_2$ (riboflavine): Excellente pour la fermeté des
tissus et pour avoir une bonne vue. Elle protège également
des infections et de l'anémie. Il vaut mieux la prendre avec

les autres vitamines B. Elle se trouve dans les céréales, les légumes et la levure de bière.

Vitamine B$_3$ (niacine): Celle-ci stimule la circulation sanguine, aide à diminuer le taux de cholestérol et à transformer les hydrates de carbone en éléments absorbables par le cerveau. Parallèlement, c'est un bouclier contre l'instabilité d'humeur et la dépression. Le flétan, le riz brun, le thon, le foie et le poulet sont riches en niacine.

Vitamine B$_6$ (pyridoxine): Est, elle aussi, bénéfique pour le cerveau. Elle facilite l'assimilation par l'organisme des matières grasses, protéines et acides aminés. Un supplément de cette vitamine est nécessaire quand on prend des contraceptifs ou des tranquillisants et qu'on suit une diète à très haute teneur en protéines. Sa carence provoque des migraines et de la rétention d'eau. On la trouve dans le germe de blé.

Vitamine B$_{12}$: Donne de l'énergie et aide au bon fonctionnement du système digestif. Son absence se constate surtout chez les végétariens et les alcooliques. Elle est contenue dans la levure de bière, le foie, les oeufs, la viande et les huîtres.

Vitamine C: C'est la reine des vitamines pour combattre les bactéries, les intoxications, les infections virales, pour guérir les plaies, prévenir la fatigue ou les allergies, renforcer les vaisseaux sanguins, les dents, les tissus et les os. Elle aiderait, en plus, à diminuer le taux de cholestérol! La ration quotidienne minimale est de 60 milligrammes, mais celles qui fument devront en prendre bien davantage parce que chaque cigarette en détruit 25 milligrammes. Il est absolument indispensable d'en absorber chaque jour, étant donné qu'elle disparaît sous l'action de l'air pollué et de l'alcool, sans parler du tabac. Comme aucune vitamine synthétique ne contient tous ses éléments qui se trouvent surtout dans la pulpe des agrumes, on ne doit pas cesser, lorsqu'on prend des suppléments de vitamine C, de manger oranges, mandarines, limettes, citrons, pamplemousses, papayes, brocolis, poivrons verts et fraises.

Vitamine D: Favorise la croissance des dents, des os et des tissus, conjointement avec le calcium et le phosphore. Elle n'est efficace que si on la prend avec des vitamines E, K et A, et, tout comme cette dernière, elle a besoin des matières grasses pour être assimilée et elle s'accumule dans l'organisme. Le lait contient habituellement un supplément de vitamine D et le saumon en boîte en regorge.

Vitamine E: Protège les cellules, de même que les poumons contre la pollution de l'air. Elle prévient aussi les taches brunes sur la peau et les varices. Le foie et le germe de blé sont riches en vitamine E.

Vitamine K: C'est la seule qui est produite par l'organisme sans apport extérieur. Elle existe, néanmoins, dans les légumes verts et feuillus et favorise la coagulation du sang.

Propriétés des minéraux

Les minéraux sont aussi indispensables que les vitamines, mais, faute de connaissances suffisantes, il est moins facile de déterminer leurs propriétés. Certains doivent être absorbés en quantités précises tandis que d'autres se retrouvent automatiquement dans tout régime équilibré et, sauf avis contraire du médecin, il est inutile d'en prendre sous forme synthétique. D'autres, enfin, peuvent entraîner la mort.

Six minéraux, plus particulièrement, sont absolument essentiels et il s'avère parfois nécessaire d'en prendre davantage que n'en contiennent les aliments. Nous les verrons plus en détail après cette rapide énumération de ceux dont il est inutile de se préoccuper au moment d'établir son régime alimentaire:

Cadmium   Molybdène
Chromium   Nickel

Cobalt	Potassium
Étain	Sélénium
Fluorine (inoffensive dans l'eau et le dentifrice)	Sodium (1 g par jour suffit; se trouve déjà dans les aliments)
Manganèse	Vanadium

Calcium: À l'instar de la vitamine C, il raffermit l'épiderme, prévient la formation de vergetures et favorise, avec le phosphore, la calcification des dents et des os. C'est également un tranquillisant doté de certaines vertus soporifiques. Sa carence est manifeste chez les gros fumeurs parce qu'il est détruit par la cigarette. Pour y remédier, il faut mettre l'accent sur les aliments à faible teneur en phosphore et riches en calcium, comme les oranges, les fromages naturels, les légumes verts feuillus, les ananas, le lait et le yogourt. Une excellente façon d'absorber davantage de calcium consiste à prendre un verre de lait auquel on aura ajouté du germe de blé et de la vitamine D qui aide l'organisme à absorber ce précieux minéral.

Fer: Est indispensable pour le sang et le foie, surtout durant la croissance, les menstruations et après la ménopause. Il existe en quantité dans les oeufs, les abricots secs, le foie, la mélasse des Barbades et presque toutes les viandes.

Iodine: Si l'organisme en a constamment besoin, c'est essentiellement durant l'adolescence et la grossesse qu'il faut en augmenter les doses. Elle stimule le fonctionnement de la glande thyroïde. On en trouve dans le sel marin ou iodé, les fruits de mer, les algues et les épinards.

Magnésium: Favorise l'activité cérébrale, ainsi que, avec le phosphore et les enzymes, celle des muscles et des nerfs. C'est surtout le germe de blé qui en contient.

Phosphore: A les mêmes vertus que le calcium, en plus d'aider à la transformation de la vitamine B en énergie pure et à l'assimilation des hydrates de carbone. Le boeuf, les haricots à la sauce tomate, le thon et les noix du Brésil ont une forte teneur en phosphore, de même que le pamplemousse où elle est de 50%.

Zinc: Protège l'élasticité des tissus et aide à raffermir l'épiderme. Il est également important pour le développement sexuel. D'autre part, il stimule la circulation sanguine et la cicatrisation en plus de prévenir l'hypertension. On le trouve surtout dans le foie, les huîtres et le germe de blé.

Trois erreurs à éviter à tout prix

Ne prenez jamais de vitamines à jeun parce qu'elles ont besoin, pour être efficaces, de s'associer aux protéines, minéraux et enzymes contenus dans les aliments. En outre, elles laissent un arrière-goût désagréable quand on les prend seules et peuvent provoquer des troubles d'estomac.

Ne décidez jamais de vous-même la nature de vos carences en vitamines. Seul un spécialiste peut se retrouver parmi la multitude des causes et des symptômes.

Comme la plupart des sels ferreux détruisent la vitamine E, ne prenez jamais celle-ci, sous forme synthétique, en même temps que du fer. Gardez la vitamine E pour le matin et le fer pour le soir. N'oubliez pas que les hormones féminines la détruisent, elles aussi.

Quelques recettes

Un régime alimentaire équilibré contient la totalité des vitamines et minéraux dont nous avons besoin pour demeurer en forme. En fait, le minimum nécessaire quotidiennement se retrouverait dans ce menu type :

1 tasse de germes de blé entier
3 tasses de lait écrémé
8 onces de foie de boeuf

2 crevettes

5 abricots secs

10 cuillerées à soupe de levure de bière

1 tasse de thon en boîte

1 carotte crue

1 tasse de jus de pamplemousse frais

4 verres de jus de tomate

Il va sans dire que si vous suiviez ce menu tous les jours, vous vous en fatigueriez rapidement et votre santé se ressentirait de ce manque d'équilibre dans votre alimentation. C'est pourquoi vous devez les intégrer à d'autres aliments et, le cas échéant, prendre un supplément de vitamines naturelles ou synthétiques. Certains nutritionnistes, comme Linda Clark et Adelle Davis, considèrent les premières comme étant supérieures aux secondes, tandis que d'autres estiment qu'il n'y a pas de différence. Quoi qu'il en soit, le meilleur moment pour prendre ses vitamines, c'est au petit déjeuner. Avalez vos capsules en même temps que votre "boisson énergétique" (voir plus loin) et n'hésitez pas à reprendre un autre comprimé de vitamine C au moment du coucher parce qu'elle s'élimine rapidement.

Puisque nous parlons de ce qui est bénéfique pour l'organisme, voyons, sans nous attarder, les aliments qui lui sont nuisibles. Cela permettra de mettre fin à certains mythes qui ont vraiment la vie dure.

Tout d'abord, le sucre est à bannir complètement de tout régime alimentaire : il ne contient aucun élément nutritif et l'organisme n'en a strictement pas besoin. En outre, il est, directement ou indirectement, responsable de certaines maladies comme le diabète, les ulcères, le cancer, la carie dentaire, les affections cardiaques et, évidemment, l'obésité. Pour leur part, parce qu'ils ont été trop raffinés, la farine blanche, les légumes et fruits en conserve ainsi que la plupart des céréales vendues dans le commerce ne contiennent à peu près plus de vitamines ou de fibres. Il est donc indispensable de manger du pain de blé entier, des céréales naturelles, des fruits et légumes frais. Dernière remarque, enfin: quoi qu'en pensent tous ceux qui disent vouloir se couper l'appétit en prenant du café, seul le "décaféiné" peut leur donner satisfaction parce que la caféine stimule l'appétit.

"Boisson énergétique" à base de vitamine C

Mélanger au malaxeur un citron, une orange et un demi-pamplemousse pelés et épépinés, avec un peu de zeste. Une fois qu'ils sont réduits en purée, ajouter un peu de miel pur non pasteurisé et, à parts égales, de l'eau d'Évian ou autre. Chaque parcelle de vitamine C contenue dans ce breuvage vous aidera à éviter rhumes, virus et autres calamités.

"Boisson énergétique" à base de protéines
(pour deux personnes)

Mélanger deux cuillerées à soupe de protéines en poudre et une de lécithine, une grosse banane, un oeuf cru et deux tasses de lait écrémé ou à 2%. On peut remplacer l'oeuf par du miel et la banane par du jus d'orange frais, auquel cas on rajoutera un yogourt. De la levure, du germe de blé et un fruit frais conviennent également, ce qui permet de varier la composition de cette boisson qui remplace parfaitement le petit déjeuner traditionnel et s'avère une extraordinaire source d'énergie.

Même si vous êtes en retard, prenez le temps de boire lentement en pensant à toute la valeur nutritive de ce breuvage: l'oeuf, riche en protéines indispensables à la croissance des cheveux et des ongles et au remplacement des cellules mortes; la lécithine qui élimine le gras avant qu'il ne se fixe contre les parois des artères et réduit les matières grasses en particules pour en faciliter l'assimilation par les tissus; les fruits, comme la banane qui se digère facilement et contient beaucoup de vitamines et de minéraux, en particulier le potassium; le lait, enfin, qui fournit sa part de calcium, de protéines et de vitamines du groupe B.

Bien sûr, il ne s'agit pas d'un aliment miracle et vous devrez continuer de prendre vos suppléments de vitamines, ainsi que, si le coeur vous en dit, une tranche de pain de blé entier. Tâchez de prendre un bon verre de ce "breuvage énergétique" tous les matins. Il se prépare facilement et rapidement; si un ingrédient vous déplaît, comme la levure, remplacez-le sans hésiter par un autre. Mais, surtout, ne vous privez pas de cette merveilleuse dose d'énergie.

Se nourrir, oui. Engraisser, non!

Dans cette section, je m'adresserai plus particulièrement à toutes celles qui ont un problème d'embonpoint ou même d'obésité. Tout le monde sait qu'on n'engraisse pas en respirant; par conséquent, sauf dans le cas de troubles glandulaires, l'alimentation est la grande responsable, soit qu'on mange trop, soit qu'on mange mal, quand ce n'est pas, la plupart du temps, les deux à la fois! La première chose à faire, quand on veut perdre du poids, c'est d'étudier la situation calmement, sans anxiété. Les aliments vous sont une source de difficultés? Alors apprenez à les connaître, découvrez leurs propriétés, leur valeur nutritive et — ce qui est tout aussi important, mais qu'on a trop souvent tendance à négliger — vos réactions. Vous devrez devenir votre propre diététicienne, ce qui signifie que vous allez apprendre à modifier du tout au tout vos habitudes alimentaires. C'est la seule et unique solution si vous voulez retrouver votre poids idéal et, surtout, le conserver. Il faut bien comprendre que vous ne pouvez passer votre vie à engraisser et à maigrir; tout d'abord, c'est mauvais pour l'organisme et pour les tissus qui auront de plus en plus de mal à reprendre, chaque fois, leur élasticité et leur fermeté; ensuite, il n'y a à peu près rien de plus désastreux pour le moral ... Lorsque je donnais des cours en rééducation alimentaire, j'ai rencontré beaucoup de femmes qui avaient suivi toutes sortes de diètes et, comme nous nous réunissions une fois par semaine durant trois mois, j'ai pu me rendre compte de l'anxiété provoquée par ces pertes et reprises de poids continuelles. Je le répète, maigrir n'a rien de miraculeux; c'est strictement une question de comportement alimentaire et, si vous suivez les conseils que j'ai réunis dans ces pages, vous devriez pouvoir remporter la victoire, tôt ou tard!

Premièrement, *déterminez* — honnêtement! — *votre poids idéal* et inscrivez ce chiffre magique, accompagné d'une pensée stimulante, un peu partout dans la maison: sur le miroir de la salle de bains, la porte du réfrigérateur, etc.

Ensuite, *procurez-vous un calepin* dans lequel vous inscrirez vos menus quotidiens en calculant les calories et hydrates de carbone pour chaque aliment. Vous trouverez facilement dans n'importe quelle librairie ou boutique d'aliments naturels des guides contenant ces informations.

Mais vous n'arriverez à rien sans *la motivation*. Personne ne peut décider de maigrir ou de se maintenir en santé à votre place. C'est une décision qui n'appartient qu'à vous. Je sais parfaitement que ce n'est pas facile, que l'effort est pénible et les tentations nombreuses. Tout va bien pendant une ou deux semaines et, subitement, on a une envie irrésistible de biscuits, de chocolat ou que sais-je encore; cette fringale passée, on se sent envahie par le découragement et convaincue de l'inanité d'une tentative supplémentaire. C'est justement en pareille circonstance qu'il ne faut pas abandonner. Vous n'êtes coupable de rien, sinon d'avoir un problème qui ne se règle pas du jour au lendemain, bien au contraire. Vous avez avalé tout un paquet de biscuits, quelques morceaux de gâteau? Eh bien, c'est fait. N'y pensez plus et repartez, sans plus tarder, à la conquête de bonnes habitudes alimentaires.

Il va sans dire que vous trouverez sûrement fastidieux, au début, de calculer les calories et hydrates de tous les aliments, mais c'est indispensable si vous voulez connaître la valeur réelle de ce que vous absorbez et parvenir enfin à maigrir. De toute façon, si cela vous ennuie vraiment trop ou que

vous n'en avez pas le temps, prenez note de ce que vous mangez et faites le calcul à la fin de la journée. N'oubliez pas, si cela peut vous encourager, que vous saurez très vite par coeur la teneur calorifique de tous les aliments. Et au lieu de regarder un gâteau en vous disant que ce serait si bon — et si inoffensif! — d'en avaler un bout, vous songerez automatiquement aux effets négatifs de ces quelque trois cents calories et de ces quatre-vingts hydrates de carbone. Du coup, la tentation disparaîtra d'elle-même. Dès que vous aurez compris que "manger, c'est rester en santé", vous penserez à établir vos menus selon leur valeur régénératrice et le fameux morceau de gâteau n'aura plus l'air que de ce qu'il est en réalité, c'est-à-dire un aliment sans aucune valeur nutritive, qui ne peut que faire engraisser, bref un déchet!

Puisque nous en sommes au chapitre de la tentation, je vous recommande fortement de ne jamais manger quand vous êtes contrariée parce que cette réaction de compensation vous poussera à avaler n'importe quoi (surtout ce qui est défendu) et en trop grande quantité. Comme le fait de manger ne réglera pas votre problème, votre satisfaction sera aussi éphémère que lourde de conséquences. Donc, si vous êtes en colère, cassez des assiettes si ça vous chante, mais éloignez-vous de la cuisine. Rappelez-vous également qu'il ne faut jamais manger debout parce que, là encore, vous mangerez plus que vous ne le pensez. Prenez toujours le temps de vous asseoir en pensant à toutes les vertus du contenu de votre assiette.

Voyons maintenant le quatrième point: *pesez-vous chaque matin*. Voici pourquoi: admettons que vous vous soyez fixé un menu quotidien de mille calories et de quatre-vingts hydrates; en vérifiant votre poids tous les jours, vous verrez tout de suite si, à ce régime-là, vous maigrissez ou non. Vous devrez peut-être changer pour huit cents calories et soixante hydrates. Peut-être aussi, devrez-vous diminuer les hydrates plutôt que les calories. Pour savoir à quoi vous en tenir, suivez, pendant deux ou trois jours, un menu très faible en hydrates et vérifiez si vous avez perdu plus de poids qu'avec un autre qui serait pauvre en calories. C'est important de procéder à de tels essais parce qu'il n'y a pas deux personnes qui réagissent de la même façon aux phénomènes alimentaires, et encore moins dans le cas de ces deux composants. Il serait bon, également, que vous mesuriez, une fois par semaine, buste, taille, hanches et cuisses. Il arrive, en effet, qu'on puisse perdre un ou même deux pouces à ces endroits stratégiques, alors qu'on n'a pas maigri d'une once, et cette constatation réjouissante permet de ne pas céder au découragement.

Vous comprenez maintenant pourquoi vous devrez faire de votre calepin un compagnon de tous les jours. Il vous aidera à découvrir comment vous réagissez à tel ou tel aliment, du moins en ce qui a trait à votre poids. Vous remarquerez, par exemple, que, à valeur égale en calories et en hydrates, les poissons et fromages vous font beaucoup moins engraisser que les pâtes et les gâteaux. C'est une équation qui vaut également pour le *"junk food"*, tous ces aliments tristes et trompeurs comme les pizzas, les Big Machins, hot-dogs et compagnie! Il ne faut pas s'étonner de se sentir privée de ses forces quand on ingurgite ces produits sans le moindre apport nutritif. Mais si vous suivez un régime équilibré comportant huit cents calories et soixante hydrates (par jour), je peux vous assurer que vous ne risquerez pas de défaillir! N'oubliez pas, enfin, que valeur nutritive et équilibre sont indissociables. Faites-vous un devoir d'absorber quotidiennement des protéines (lait, oeufs, fromage, viande, poisson), des légumes et des fruits frais ainsi que des céréales (des vraies . . .), et supprimez, autant que faire se peut, les conserves qui contiennent surtout des agents de conservation, des additifs et des colorants.

Tout, dans la vie, est une question d'équilibre. Il y a un temps pour fêter et un autre pour l'austérité. Du moment que vous ne succombez pas exagérément aux tentations du premier, vous resplendirez de santé. Tout le monde a envie, à un moment ou à un autre, de s'offrir un petit festin ou de satisfaire sa gourmandise. Mais il s'agit de savoir faire la part des choses; en vacances, par exemple, ou quand on est invité chez des amis, il ne serait guère convenable, ni même logique, de s'en tenir coûte que coûte à son régime. Quand l'hôtesse s'est donné du mal pour préparer des plats délicieux, la seule chose à faire, c'est de les savourer en ne laissant rien dans son assiette. Profitez-en de bon coeur. Vous n'aurez qu'à manger un peu moins le lendemain. Du reste, rien ne vous empêche, à la maison, de vous gâter: la cuisine au vin donne un cachet incomparable à tous les plats, et un vin de table sec perd 85% de ses calories et tout son alcool au four. Comme un verre de cinq onces de vin sec contient environ cent vingt-cinq calories, cela veut dire qu'il n'en restera plus que onze dans votre assiette. Et c'est tellement meilleur! Il faut savoir mettre son imagination à contribution quand on suit un régime; cela évite de se sentir en punition. Vous aurez donc tout intérêt à collectionner les livres de recettes amaigrissantes et à inventer les vôtres.

Comme vous pouvez le constater, il n'est absolument pas question de vous priver de manger, ce qui est le cas avec les diètes liquides. Il est vrai que celles-ci permettent de maigrir rapidement, mais dès qu'on arrête on reprend du poids tout aussi vite. D'autre part, lorsque vous saurez maîtriser le calcul des hydrates et calories, votre anxiété vis-à-vis de la nourriture disparaîtra d'elle-même. C'est là l'un des premiers effets bénéfiques d'un régime alimentaire sain et équilibré.

Si vous tenez vraiment à maigrir et à rester en bonne santé, il est une habitude que vous devrez perdre à tout prix, celle de manger, entre les repas, des aliments riches en calories. Quand l'envie de grignoter s'empare de vous, préparez-vous une assiette de crudités: radis, céleri, chou-fleur, carottes, etc., ou même du fromage si vous avez très faim. Bannissez du réfrigérateur et du garde-manger bonbons, biscuits, croustilles (particulièrement affreuses pour la santé, ces "chips"), gâteaux et autres sucreries. Remplacez-les par des fruits et des légumes. Et puis, ne laissez pas d'aliments un peu partout dans la maison, que ce soit dans le salon ou sur votre table de chevet. Concentrez-les dans la cuisine: l'effort nécessaire pour aller les chercher vous fera peut-être changer d'avis en cours de route. Bien sûr, vous n'êtes pas seule et le reste de la famille n'est pas obligé de suivre votre régime. C'est vrai, mais ils accepteront sûrement de vous soutenir pendant quelque temps et vous pourrez en profiter pour leur réapprendre à bien manger. Ce faisant, vous leur rendrez service à tous.

Au début, lorsque vous mettrez du pain sur la table, par exemple, vous entendrez des protestations; tout le monde prétendra que ce n'est pas aussi bon que le pain blanc, et que sais-je encore. Mais patientez un peu et vous ne tarderez pas à entendre exactement le refrain contraire. Vous ne pouvez vous tromper si vous pensez santé, beauté, énergie lorsque vous préparez à manger. Comme dessert, offrez des fruits frais au lieu de gâteaux ou de la crème glacée. Si vous inculquez, dès leur tout jeune âge, des habitudes alimentaires saines à vos enfants, elles feront partie de leur bagage pour la vie au même titre que les études supérieures que vous prévoyez leur faire suivre. De plus, vous leur éviterez d'avoir à se débattre, plus tard, avec ces problèmes que vous, vous connaissez trop bien et dont vous avez tant de mal à vous débarrasser. Plutôt que d'obliger vos enfants à vider une assiette abondamment garnie, servez-les moins; il est beaucoup plus profitable, psychologiquement en tout cas, d'avoir à les resservir plutôt que de les habituer à trouver normal de jeter de la nourriture ou de s'empiffrer. Cela vaut, du reste, également pour vous: rien ne vous oblige à manger tout ce qu'il y a dans votre assiette, et si vous êtes une "grosse mangeuse", efforcez-vous de diminuer peu à peu vos portions. Toujours dans le cas des enfants, les discours sur la cherté des aliments sont tout à fait inutiles de façon générale et encore plus si vous leur servez des repas nutritifs et équilibrés. Surtout, n'ayez plus jamais recours à cette menace: "Si tu ne vides pas ton assiette, tu n'auras pas de dessert." Cette forme de "chantage", qui est tout aussi condamnable dans sa version affirmative, est l'une des causes qui font que nous, Nord-Américains, sommes "intoxiqués" par les sucreries; c'est que, dans notre subconscient, nous les associons avec récompense, chaleur, douceur, compensation. Disons les choses telles qu'elles sont: tout ce qui est sucre correspond à une drogue, autant sur le plan physique que du point de vue psychologique, parce que cela entraîne une dépendance qui, conséquence de notre mauvaise éducation alimentaire, nous y fait rechercher une compensation. C'est pourquoi nous avons tellement de mal à nous défaire de cette manie de rajouter du sucre à presque tous les plats; qu'on pense seulement aux marinades ou aux sauces dites "chinoises"... Si vous n'arrivez pas à vous en passer, cependant, rabattez-vous sur du miel naturel non pasteurisé et les fruits comme les raisins, dattes, figues et autres. Ils contiennent beaucoup de calories, c'est vrai, mais, au moins, il s'agit de sucre naturel que votre organisme aura bien moins de mal à assimiler. Le sucre blanc est tellement raffiné qu'on ne le considère même plus comme un aliment organique, mais plutôt comme un produit chimique. Il est donc infiniment plus intoxicant que son équivalent naturel. D'ailleurs, aussi bien que vous le sachiez une bonne fois pour toutes, ce qu'on appelle du sucre brut n'a rien de brut; c'est tout simplement le résultat de la séparation, lors du raffinement, de la mélasse et des cristaux de sucre. Le sucre blanc, dont toutes les vitamines ainsi que les minéraux ont été éliminés pendant ce processus, devient de la sucrose à 99,9%. Le sucre "brut" est, dans une proportion de 97 à 98%, de la sucrose teintée avec de la mélasse enrichie de vitamines et de minéraux pour rendre un peu de leur valeur nutritive aux 2 ou 3% qui restent. Ce n'est certes pas ce pourcentage insignifiant qui pourra vous consoler d'une déception. Si vous avez une "crise" de sucre, débouchez un pot de miel ou essayez de ne plus y penser en téléphonant à quelqu'un que vous aimez, en vous plongeant dans un livre ou en grignotant des crudités. Et si vous décidez d'éliminer le sucre de votre régime, n'oubliez pas le chocolat qui, depuis que le cartel du cacao a haussé ses prix, n'est plus qu'un produit artificiel dans la majorité des cas, ce qui est bien pire!

Nous avons vu les solides, passons maintenant aux liquides. En ce domaine, rien ne surpasse l'eau dont l'organisme a énormément besoin: environ deux litres et demi, quotidiennement. Elle n'a pas son pareil pour adoucir et revigorer votre peau. Et ne vous faites pas de soucis à propos de la rétention d'eau: maintenant que vous suivez une diète riche en protéines, votre corps n'aura plus aucune difficulté à éliminer tout ce liquide qui le débarrasse de ses déchets. Mais si vous avez des problèmes de rétention, pensez plutôt à la pilule et consultez votre médecin sur ses effets secondaires. D'autre part, méfiez-vous comme de la peste des diurétiques — j'en ai fait la douloureuse expérience, moi-même — et n'en prenez jamais s'ils ne vous ont pas été prescrits; ils déséquilibrent tout le système et sont mortels pour l'apparence! Tous les liquides à base d'eau comme le café, le thé et le lait ne doivent pas être confondus avec celle-ci, à cause des effets secondaires dus à la caféine, à l'acide tannique et au gras. Ce dont vous avez réellement besoin, c'est de l'eau pure. Faites-en bouillir régulièrement, pendant cinq ou dix minutes, pour éliminer le chlore qu'elle contient et gardez-la au réfrigérateur. Elle sera délicieuse. Ou encore, achetez-la embouteillée, vous n'aurez que l'embarras du choix. Moi, je ne peux me passer de mes deux bouteilles d'Évian par semaine. Je la prends par goût, mais c'est celle dont les vertus amaigrissantes sont les plus prononcées. La diète Évian consiste à boire deux verres au sortir du lit, deux à midi, deux encore avant le souper et un dernier verre au moment de se coucher. De toute façon, si vous buvez deux verres de n'importe quelle eau avant de passer à table, votre appétit s'en trouvera diminué d'autant et, mangeant moins, vous perdrez plus de poids. L'eau la plus pure est celle qui a été distillée à trois reprises, mais elle n'a pas ce goût particulier qui vient des minéraux. On dit qu'une eau est dure quand elle contient du calcium et du magnésium. Avec moins d'un grain de minéraux par gallon, elle est considérée comme douce. Entre un et trois grains, elle est modérément dure; de trois à sept, elle est dure et, avec plus de sept grains, on a de l'eau dite "très dure".

Au début, vous pourrez trouver quelque peu excessif d'avoir à boire jusqu'à huit verres d'eau par jour et certaines auront peut-être une impression de ballonnement. Mais cette réaction n'est que passagère et elle disparaîtra dès que votre système se sera stabilisé; dès ce moment, l'élimination du surplus d'eau se fera beaucoup mieux parce que vos reins seront bien nettoyés. Si vous n'avez pas l'habitude de boire de l'eau, commencez avec deux ou trois verres par jour et augmentez peu à peu. Encore une remarque: on prend généralement du poids durant les quelques jours qui précèdent les menstruations, parfois même jusqu'à quatre livres. Mais ne vous affolez pas, c'est un phénomène normal qui s'efface au moment où commencent les règles. Cette rétention périodique s'accompagne, dans certains cas, d'une envie de sucre et il devient plus difficile d'y résister. Ces accidents de parcours disparaîtront au fur et à mesure que vous vous adapterez davantage à vos nouvelles habitudes alimentaires, ce qui ne s'accomplit pas en quelques jours, ni même en quelques semaines. Vous devrez donc vous armer de patience et persévérer sans vous inquiéter outre mesure puisque le but de tous ces efforts est de demeurer en bonne santé le reste de votre vie. Devant un tel objectif, le temps a bien peu d'importance.

Quant à l'alcool, il vaut mieux, cela va sans dire, en prendre le moins possible. D'abord, il fait engraisser à vue d'oeil et, en second lieu, il fait perdre rapidement la notion de ce qu'on mange, quantitativement du moins. Pour ne pas faire bande à part pendant un dîner, remplissez votre verre de vin à moitié seulement et buvez-le à très petites gorgées pour le faire durer tout le repas; vous pourrez trinquer avec tout le monde et votre "abstinence" passera inaperçue. Et cessez de croire que l'alcool aide à faire passer les aliments; si vous mastiquez suffisamment, vous n'aurez pas besoin de boire.

Ceci dit, ce n'est pas le vin qui est le plus grand ennemi de votre ligne, mais les produits distillés. Pour les eaux-de-vie (scotch, gin, etc.), les étiquettes indiquent la teneur en alcool, c'est-à-dire le pourcentage d'alcool pur multiplié par deux. Ainsi, un scotch qui a une teneur de 86 est alcoolisé à 43%. Les vins, par contre, sont étiquetés directement selon le pourcentage en alcool qui est généralement de 12%

par volume, soit une teneur de 24. Il va de soi que plus celle-ci est basse, mieux cela vaut. La bière est, de toutes les boissons, celle dont le taux d'alcool est le plus faible. D'autre part, ne vous en laissez pas compter par la publicité sur les "diètes liquides" qui affirme que le gin, le scotch, la vodka, etc., ne contiennent pas d'hydrates de carbone. C'est vrai, mais ce qu'elle oublie de préciser, c'est qu'ils ne contiennent pas, non plus, de vitamines, minéraux ou autres éléments bénéfiques pour la santé. En échange, ils ne sont pas avares de calories, ces petits "drinks"! Il y en a très exactement cent cinq dans chaque once et demie d'une boisson dont la teneur est de 86, alors que la même quantité de vin de table sec n'en contient que trente-sept et une bière légère, seulement dix-neuf, à quelques points près selon la marque.

Puisque nous en sommes au chapitre de l'alcool, attardons-nous un instant sur ses méfaits. Il y a dix ans, un alcoolique sur six était une femme. Maintenant, la proportion est d'un tiers! Les conséquences ne se sont pas fait attendre: en 1978, quelque mille six cent cinquante bébés sont nés, en Amérique du Nord, avec des difformités irréversibles accompagnées, dans certains cas, de troubles mentaux. L'alcoolisme est responsable, toujours sur notre continent, d'environ deux cent vingt-cinq mille décès prématurés, en plus d'être relié à la gastrite, aux affections hépatiques et cardiaques ainsi qu'à certains cancers.

Le petit test qui suit vous aidera à vérifier si vous n'avez pas un problème d'alcoolisme, auquel cas vous feriez bien d'y voir sans plus tarder.

• L'un de vos proches vous a-t-il déjà fait part de son inquiétude à propos de votre façon de boire?

• Quand un problème vous tracasse, cherchez-vous à vous remonter en prenant un verre?

• L'alcool vous empêche-t-il, parfois, d'assumer vos responsabilités au travail ou de vous présenter devant votre famille?

- Avez-vous déjà eu besoin de soins médicaux après avoir trop bu?
- Avez-vous déjà fait l'expérience d'une amnésie totale en buvant?
- L'alcool vous a-t-il déjà valu d'avoir affaire à la justice?
- Vous est-il souvent arrivé de ne pas respecter les promesses que vous faisiez de boire moins ou même plus du tout?

Si vous avez répondu affirmativement à une seule de ces questions, c'est que vous souffrez, incontestablement, d'un problème d'alcoolisme . . .

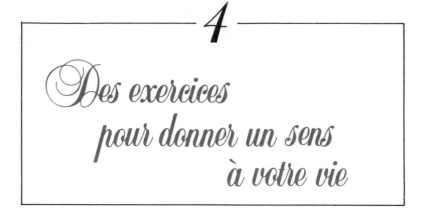

4

Des exercices pour donner un sens à votre vie

OUS venons de voir toute l'importance que revêt l'alimentation, aussi bien pour éviter de prendre du poids que pour rester en forme. Mais les efforts que vous aurez entrepris pour modifier vos habitudes alimentaires ne porteront fruit qu'à moitié si vous continuez de mener une vie sédentaire. Combien de fois, du reste, n'avez-vous pas pris la résolution (aussi valable que celles du Jour de l'An!) de faire quelques exercices chaque matin, tant vous étiez consciente du risque qu'il y a à laisser ses muscles s'ankyloser. Mais la routine et la loi du moindre effort aidant, vous êtes vite retombée dans votre apathie habituelle. Plusieurs s'en justifieront en disant qu'elles marchent suffisamment comme ça dans la cuisine ou en faisant le ménage, et que se baisser un nombre incalculable de fois pour ramasser tout ce que les enfants laissent traîner vaut bien tous les exercices du monde. Il y a du vrai là-dedans, mais pas plus que lorsque vous vous bourriez de sucreries pour satisfaire une fringale soudaine, au lieu de prendre un fruit ou un morceau de fromage. Pour conserver un fonctionnement adéquat, l'organisme a besoin, outre une alimentation équilibrée, d'une saine oxygénation, ce que seul l'exercice peut lui procurer. Il s'agit, ici encore, de faire sienne une nouvelle philosophie qui ne devrait pas tarder à devenir un mode de vie en soi. Le sédentarisme est à l'origine de nombreux malaises de toutes sortes et nuit à l'énergie créatrice. En outre, quand on se sent mal dans sa peau, quand on se sent lourde, lente, malhabile, cela se reflète sur le psychisme et c'est alors que l'anxiété et le manque d'assurance s'installent à demeure.

Nous allons donc passer à la phase deux de la mise en forme et voir quelques exercices et divers sports qui vous permettront de ne pas vieillir plus vite que prévu. De nouveau, vous pourrez tâcher d'amener votre partenaire ou vos enfants à vous imiter; ce sera plus amusant pour tout le monde et cela ne pourra que leur faire du bien.

Voici d'abord quelques conseils généraux. Toute séance d'exercices doit être précédée d'une période d'échauffement parce que, pas plus que vous ne mettez votre voiture en marche pour, aussitôt, faire tourner le moteur à plein régime, vous ne pouvez imposer à vos muscles un effort subit et prolongé. En second lieu, prenez votre temps. Vous n'arriverez à rien de bon en faisant vos exercices à la va-vite. Il vaut mieux en réduire le nombre, mais les faire comme il faut en en décomposant soigneusement les mouvements et, surtout, en respirant à fond. Mettez un peu de musique, si vous pensez que cela vous aidera à conserver un rythme régulier, sans compter que ce sera tout de même plus agréable.

La gymnastique

C'est au réveil que la gymnastique est la plus efficace. Tout d'abord, vous devriez dormir sur un matelas dur pour permettre à votre corps de mieux se reposer. Dès que vous ouvrez les yeux, étirez-vous dans tous les sens pendant cinq minutes avant de passer aux exercices proprement dits. Ceux-ci se regroupent en trois catégories: les exercices d'allongement, de renforcement et d'endurance. Consacrez quinze minutes par jour à chacune des deux premières catégories et vingt minutes, trois fois par semaine, à la troisième. Les résultats, comme vous pourrez le constater, ne se feront pas attendre.

Exercices d'allongement

Flexion du torse: Tenez-vous debout, les pieds écartés d'une douzaine de pouces, les genoux légèrement pliés; penchez-vous jusqu'à ce que le bout de vos doigts touche le parquet. Redressez-vous et étirez-vous.

Élévation des genoux: Tenez-vous droite, pieds et genoux joints. Relevez votre genou droit jusqu'à la poitrine et enserrez-le de vos bras. Recommencez avec le genou gauche.

Flexion latérale: Les pieds écartés, les mains nouées derrière la nuque, penchez-vous le plus possible du côté droit. Redressez-vous et recommencez de l'autre côté.

Rotation des bras: Tenez-vous bien droite et dessinez, de votre bras droit étendu, de grands cercles d'avant en arrière d'abord, puis dans l'autre sens. Répétez cet exercice avec le bras gauche, avant de le faire des deux bras simultanément.

Exercices de renforcement

Nuque: Appuyez votre main droite contre votre figure et résistez, de la tête, à la pression du bras.

Muscles thoraciques: Allongez-vous sur le dos, les bras étendus le long du corps. Avec de légers haltères en main, étirez-les verticalement, au-dessus de votre tête. Ce mouvement doit être exécuté lentement.

Muscles du haut du dos: Allongez-vous sur le ventre, un oreiller sous les hanches, les mains jointes derrière la nuque. Redressez la tête et le buste, mais sans que vos pieds quittent le sol. Gardez la position pendant cinq secondes.

Muscles du bas du dos: Toujours dans la même position, levez les jambes l'une après l'autre.

Intérieur des cuisses: Allongez-vous sur le côté gauche, les jambes bien droites. Mettez votre pied droit sur une chaise ou un tabouret. Levez la jambe gauche jusqu'à ce qu'elle touche la droite, puis baissez-la. Changez de côté et recommencez. Cet exercice est encore plus profitable avec un léger poids fixé à la cheville.

Extérieur des cuisses: Allongez-vous sur le côté gauche, la jambe gauche légèrement repliée et l'autre très droite. Levez et baissez la jambe droite. Changez de côté.

Genoux: Étendez-vous sur le dos, un oreiller sous les genoux. Levez la jambe droite, puis baissez-la. Recommencez avec la gauche. Des poids permettent d'augmenter la résistance . . . et l'effort.

Le chat: Mettez-vous à quatre pattes, le dos bien droit. Faites le gros dos, comme un chat, en étirant au maximum les muscles abdominaux et en expirant. Conservez cette position pendant cinq minutes.

Commentaires: Chaque exercice doit être exécuté de quinze à vingt fois. Cessez immédiatement si vous ressentez une douleur, même légère, ou si vous vous mettez à trembler. Ne forcez pas vos muscles, vous vous retrouveriez avec un ligament déchiré ou un muscle étiré. Et n'attendez pas d'être à bout de souffle pour vous arrêter; ces exercices visent à vous mettre en forme pour toute la journée et non à vous vider de vos forces. Enfin, si vous n'avez pas fait travailler vos muscles depuis longtemps, consultez d'abord votre médecin au cas où il y aurait contre-indication de sa part pour certains exercices.

Exercices d'endurance

Redressement: Il s'agit du classique "sit-up", toujours efficace. Allongez-vous sur le dos, genoux repliés et mains derrière la tête. Maintenez vos pieds au sol en vous aidant d'un appui, tel un meuble, ou en faisant appel à quelqu'un. Relevez-vous lentement tout en expirant, jusqu'à ce que vous touchiez votre genou gauche de votre coude droit. Recouchez-vous et recommencez de l'autre côté.

Pieds: Marchez alternativement sur les talons et sur les orteils. Cet exercice qui vise à renforcer les pieds ne peut, toutefois, guérir les pieds plats.

Chevilles: Asseyez-vous sur une chaise après avoir fixé des poids à vos deux pieds. Soulevez les orteils et gardez la position cinq secondes. Alternez les deux pieds.

Jogging sur place: Il est indispensable, pour cet exercice, d'avoir de bons souliers de course. Étirez vos jambes d'après l'exercice d'allongement vu plus haut, faites du sur-place pendant vingt minutes et étirez vos jambes de nouveau.

Saut à la corde: Les bras le long du corps et en ne bougeant que les poignets, accentuez la cadence pendant trois minutes; reposez-vous une minute et reprenez l'exercice. Il est excellent pour les mollets et les chevilles.

Commentaires: Pour augmenter votre endurance, vous devez faire travailler vos principaux muscles et amener votre coeur à battre au rythme de cent trente ou cent quarante pulsations à la minute. Précédez chaque exercice d'une période d'échauffement de cinq minutes afin d'assouplir muscles et articulations et de stimuler graduellement votre pouls. Reprenez cette période à la fin de chaque séance pour éviter d'avoir des nausées ou de perdre connaissance. N'essayez jamais d'aller au-delà de vos forces. Observez plutôt une certaine progression, par exemple en courant plus longtemps au même rythme, ou plus vite durant un même laps de temps.

LES SPORTS

Le sport est une activité qui permet à la fois de se détendre et de rester en forme. C'est l'un des meilleurs passe-temps qui soient, à tous les points de vue. Celles qui ont l'esprit de compétition s'en donneront à coeur joie avec le tennis, la natation, le ski alpin et autres sports qui peuvent se pratiquer aussi bien en équipe qu'en solitaire; et toutes, vous trouverez sûrement qu'une randonnée à bicyclette est plus salutaire qu'une partie de cartes ou une émission télévisée pour votre système cardio-vasculaire. En outre, quand on a la chance de vivre dans un pays où montagnes, lacs et forêts se trouvent, pour ainsi dire, à portée de la main, ce serait vraiment trop stupide de se cantonner entre quatre murs à regarder ses muscles s'avachir. Voici donc quelques sports d'hiver et d'été que vous pourrez pratiquer sans aucune difficulté et même sans avoir à quitter la ville.

La course à pied

Il y a peu d'activités physiques qui permettent autant d'améliorer la condition cardio-vasculaire, la résistance musculaire, la force des jambes et la capacité respiratoire.

Commentaire: Comme exercice d'échauffement, commencez par la marche rapide, ou marche militaire, et augmentez progressivement votre tempo jusqu'au jogging. La course vous permettra de brûler, compte tenu de la vitesse que vous adopterez, entre cinq cent quatre-vingt-cinq et sept cents calories à l'heure.

Malgré ses effets bénéfiques pour le coeur, les poumons et la circulation sanguine, la course ne permet pas tellement de développer les muscles de la partie supérieure du corps. D'autre part, elle risque de raccourcir sensiblement ceux du mollet ou d'en diminuer la souplesse. Toutefois, les exercices d'allongement compensent largement pour cet éventuel inconvénient. Enfin, tant que vous n'aurez pas réduit votre embonpoint (dans la mesure où vous en faites, bien sûr), vous trouverez, peut-être, que cette activité est très pénible pour les chevilles, les genoux et les jambes.

La natation

La natation est idéale pour l'organisme tout entier. Elle stimule le fonctionnement du coeur et des poumons, fait travailler les bras et les jambes, renforce les muscles du dos et de l'abdomen. Et, fait qui n'est pas à dédaigner, elle engendre une profonde détente.

Commentaire: Si vous nagez vite, vous pourrez perdre de trois cent cinquante à quatre cent vingt calories en une heure. Pour que votre forme s'améliore réellement, vous devrez, cependant, nager au moins trente verges en une minute; sinon, vous ne ferez que vous relaxer, ce qui, tout compte fait, n'est tout de même pas si mal. Enfin, la natation aide particulièrement celles qui veulent perdre du poids puisque, l'eau soutenant le corps, vous pouvez faire travailler tous vos muscles sans que vos jambes en souffrent.

Le tennis

Trop de gens, surtout les débutants, jouent au tennis sans se préoccuper d'en faire profiter leur coeur et leurs poumons. Quand on s'y donne à fond, par contre, ce sport est excellent pour le sens de l'équilibre, la souplesse et l'endurance.

Commentaire: Si vous jouez en double, vous pouvez perdre de deux cent vingt à deux cent quatre-vingt-cinq calories par heure, tandis que, en simple, cette perte sera plus prononcée: de trois cent dix à quatre cent cinq calories.

Le seul désavantage du tennis vient du fait que, à force de s'arrêter constamment pour servir ou pour ramasser la balle, l'exercice est moins suivi et il faut jouer très souvent pour améliorer sa forme de façon valable.

La bicyclette

On peut faire de la bicyclette à tout âge. C'est un sport qui renforce les muscles des jambes et du dos et qui stimule le système cardio-vasculaire.

Commentaire: La perte de calories varie entre trois cent cinquante et quatre cent cinquante en une heure. L'aspect négatif de cette activité tient au fait que la plupart des gens pédalent trop lentement pour en bénéficier pleinement. Si vous conservez une vitesse moyenne de huit milles à l'heure, il est certain que vous ne risquerez pas de fatiguer votre coeur indûment. Vous devrez donc apprendre à pédaler vite et ne pas hésiter à monter des côtes; et, tant qu'à faire, oubliez donc la dixième vitesse! Prenez votre pouls de temps en temps pour vérifier la qualité de votre effort, cela pourra vous encourager. Il existe un léger risque de se raccourcir un tendon du jarret ou de voir la jambe perdre de sa souplesse.

Le patinage (sur glace ou à roulettes)

Le patinage est un très bon exercice qui stimule les muscles, le coeur et la circulation. En en faisant régulièrement, vous ne tarderez pas à constater une très nette amélioration à ce niveau.

Commentaire: Une bonne patineuse peut perdre de cinq cent vingt à six cent vingt calories par heure et, même si vous jouez davantage les gracieuses ballerines que les fanatiques de la course, vous pourrez en perdre, malgré tout, entre deux cent quatre-vingt-quinze et trois cent cinquante.

En général, le patinage exige peu d'effort et, par conséquent, n'augmente pas tellement la résistance musculaire.

Le ski

À condition d'en faire pendant au moins dix minutes à

la fois, le ski de descente est un très bon sport d'endurance. Par contre, si vous vous reposez plus souvent que vous ne dévalez les pentes, il sera sans grand effet sur votre système cardio-vasculaire. Pour sa part, le ski de fond, dont la vogue ne cesse d'augmenter, est excellent à tous points de vue et, financièrement, plus accessible. Il permet, en outre, de jouir du paysage et se pratique n'importe où.

Commentaire: Le ski alpin exige qu'on soit déjà en bonne forme si l'on veut éviter des blessures parfois sérieuses. C'est pourquoi il est fortement recommandé de faire, seule ou en groupe, des exercices de mise en forme de six à huit semaines avant le début de la saison hivernale.

La *marche,* le *golf* et les *quilles* ("bowling") sont des sports "tranquilles". La marche fait du bien à tout le monde, jeunes et vieux. Mais le golf ne vaut pas grand-chose, à moins que vous ne portiez vous-même votre sac ou que vous jouiez sur un terrain très accidenté. Quant au "bowling", il ne permet pas de perdre beaucoup plus que cent cinquante calories en une heure.

5

Les «sept règles» de l'espérance de vie

VOUS mangez bien, vous faites de la gymnastique et un peu de sport, que vous reste-t-il à faire pour mettre toutes les chances de votre côté et tenir la maladie en échec? Eh bien, si vous suivez les "sept règles" que nous allons voir tout de suite, vous serez certaine de rester en bonne santé et de voir augmenter votre longévité. Ces sept règles sont le résultat d'une importante étude menée auprès de la population adulte du comté d'Alameda par le docteur Breslow, doyen de l'École de santé publique rattachée à l'université de Californie à Los Angeles:

1 – Dormir de sept à huit heures par nuit
2 – Ne pas fumer
3 – Éviter l'embonpoint
4 – Prendre toujours un petit déjeuner
5 – Ne pas grignoter entre les repas
6 – Faire régulièrement de l'exercice
7 – Prendre peu d'alcool

Comme vous pouvez le constater, ces règles relèvent du simple bon sens et l'on peut s'étonner à juste titre de voir qu'elles ne sont pas suivies automatiquement par tout le monde. Et quand je dis "suivies", je ne veux pas dire une ou deux de temps en temps, mais bien toutes et en tout temps. En effet, l'étude du comté d'Alameda a clairement démontré que c'était là une condition *sine qua non* pour bien se porter, puisque moins on suivait de règles et plus les chances de vivre longtemps et en bonne santé diminuaient. Ainsi une femme de quarante-cinq ans qui applique toutes les règles a une espérance de vie supérieure de sept ans par rapport à une autre qui se contente d'en suivre deux ou trois. Chez les hommes, c'est encore plus manifeste, l'augmentation de la longévité pouvant, dans leur cas, dépasser onze ans. Y a-t-il un âge pour commencer? Non, même s'il n'est jamais "trop tôt" pour bien faire. Les résultats positifs engendrés par l'observance de ces sept règles se sont fait sentir dans toutes les catégories d'âge, de vingt à soixante-dix ans. Du moment que vous arrêtez (enfin!) de fumer, vous pourrez, dans une certaine mesure, retrouver l'usage de vos poumons. Un sommeil réparateur, surtout si on prend un bon bain chaud avant de se coucher, est un excellent bouclier contre la nervosité excessive et permet de rester en pleine possession de ses moyens. Nous avons déjà vu ce qu'il en est de l'alcool, je n'insisterai donc pas. Il en va de même pour l'exercice et l'embonpoint, ainsi que les autres points qui ont été étudiés en détail dans les chapitres précédents.

Néanmoins, vous auriez grand tort d'en arriver à la conclusion, après la lecture de ces pages, que la profession médicale a perdu sa raison d'être. Le corps est une curieuse machine et la vie moderne, avec le rythme qu'elle nous impose, la pollution sous toutes ses formes et j'en passe, n'est sûrement pas notre meilleure alliée au niveau de la santé; les maladies propres à notre siècle se multiplient, qu'elles soient industrielles ou autres, et il n'est pas toujours possible, pour un profane, d'en reconnaître les signes avant-coureurs. C'est pourquoi il faut, plus que jamais, continuer de voir régulièrement son médecin.

L'EXAMEN DE ROUTINE

Certaines pourront trouver paradoxal que j'insiste tant sur la nécessité de rester en contact avec son médecin alors que, depuis le début de ce livre, je m'attache à vous expliquer ce qu'il faut faire pour rester en bonne santé. Eh bien non, il n'y a là rien de contradictoire. C'est tout simplement une question de logique et de bon sens. Bon nombre de maladies ne se manifestent que lorsqu'elles sont passablement avancées et le traitement s'en trouve alors beaucoup plus long et difficile dans bien des cas. Je pense ici au diabète, à l'hypertension, aux affections cardiaques et aux divers types de cancer. D'autre part, on traîne souvent au fond de soi une inquiétude plus ou moins tangible lorsque l'un de nos proches est décédé des suites de l'une ou l'autre de ces maladies. Plutôt que de vivre avec cette anxiété, il vaut mieux en avoir le coeur net, et votre médecin est le seul qui pourra vous dire si vous avez tort ou raison de vous en faire. C'est très réconfortant de s'entendre dire, de temps à autre, qu'on est en parfaite santé. Du reste, vous n'êtes pas tenue de confondre sa salle d'attente avec celle de votre coiffeur. Selon le docteur Isidore Rosenfeld, auteur de l'ouvrage *The Complete Medical Exam,* il est superflu de passer un examen de routine annuel, du moment qu'on est en bonne santé et que les antécédents familiaux ne le justifient pas. Voici donc la fréquence de ces examens, compte tenu de l'âge:

- De 21 à 35 ans: un examen de routine tous les cinq ans

- De 35 à 42 ans: un examen de routine tous les trois ans (maladies spécifiques: hypertension, affections cardiaques, cancers)

- De 42 à 50 ans: un examen tous les deux ans

- De 50 à 60 ans: un examen annuel

- Après 60 ans: un examen annuel, suivi d'un autre plus bref au bout de six mois afin de pouvoir déceler à temps celles des maladies qui frappent plus particulièrement ce groupe : artériosclérose, diabète, bronchite chronique, arthrite, emphysème, hypertension, cancers et les maladies comportementales comme la dépression.

Il va de soi que vous devrez vous faire examiner plus souvent si l'un ou l'autre des membres de votre famille a été frappé par l'une de ces terribles maladies, et ne pas hésiter à prendre rendez-vous dès que vous remarquez l'un des symptômes suivants :

1 — une douleur inexplicable
2 — un saignement inexplicable
3 — une protubérance au sein ou toute autre excroissance
4 — une perte de poids prononcée
5 — tout autre signe persistant et inexplicable

Lorsque vous devez rencontrer votre médecin, pensez à tout ce que l'examen devrait couvrir et dressez la liste des questions que vous voulez poser, mais que vous risquez d'oublier. Ajoutez-y tout symptôme qui aura pu vous inquiéter ainsi que ses effets. Vous faciliterez grandement la tâche de votre médecin si vous pouvez le renseigner, de façon aussi complète que possible, sur votre état de santé.

Mais s'il est bon que vous vous prépariez à subir votre examen, il y a également des choses à éviter. Tout d'abord, n'essayez pas de modifier votre condition. Par exemple, ne vous lancez pas dans un régime draconien, parce que certains tests, comme ceux du diabète et du cholestérol, pourraient s'en trouver faussés. Ne vous mettez pas subitement à faire de l'exercice ; cela n'impressionnera guère votre docteur si vous faites une crise cardiaque. N'arrêtez pas de fumer uniquement pour l'occasion ; vous trouverez sûrement très intéressant de voir les effets du tabac sur votre électro-cardiogramme, votre capacité respiratoire, etc. N'allez même pas chez le coiffeur, parce que l'état de votre chevelure pourrait attirer l'attention du médecin sur un éventuel hypofonctionnement de la thyroïde ou sur la présence d'un choc émotif. D'autre part, ne vous présentez pas, pour votre examen, chez un spécialiste parce qu'il pourrait ne s'intéresser qu'à ce qui fait partie de son domaine et négliger inconsciemment le reste.

LES CANCERS

Cette terrible maladie, pourtant récente, ne cesse de faire des victimes et, même si la science progresse de plus en plus, nul ne peut se considérer à l'abri. Nous allons étudier les diverses formes qu'elle revêt, en commençant par le cancer du sein qui est le plus répandu en Amérique du Nord, où il frappe environ une femme sur treize et en tue quelque quarante mille par année, soit une victime toutes les quinze minutes... Parmi les autres types de cancer qui augmentent dramatiquement le taux annuel de mortalité féminine, il y a celui du côlon et du rectum (vingt-neuf mille décès), celui des poumons (vingt-quatre mille), celui des ovaires (douze mille) et de l'utérus (onze mille cas). Le cancer de la peau est le plus fréquent, mais c'est aussi le moins dangereux.

Le cancer du sein

Facteurs de risques: Un précédent familial, l'âge (trois cas sur quatre sont diagnostiqués chez des femmes ayant atteint la cinquantaine), une ménopause tardive, l'absence d'enfants, l'arrivée d'un premier-né après l'âge de trente ans, des menstruations prématurées.

Signes avant-coureurs: Toute protubérance ou induration, enflure, distortion du mamelon ou de l'alvéole, douleur, persistance d'une irritation ou d'une rougeur, suppuration, sensibilité excessive de l'épiderme. Comme seulement 20% des "bosses" sont, en fait, des tumeurs malignes, ne vous alarmez pas si vous remarquez un durcissement inhabituel; néanmoins, voyez votre médecin sans tarder pour plus de précautions.

Examen: Quel que soit votre âge, procédez vous-même à un bref examen, au moins une fois par mois. Le moment le plus favorable pour ce faire, c'est une ou deux semaines après vos menstruations, alors que vos sens ne sont ni enflés ni trop sensibles. Après la ménopause, fixez-vous, pour mieux y penser, le premier jour du mois comme date. Vous devriez voir votre médecin une fois par an à ce sujet ou tous les six mois si vous avez plus de cinquante ans. La mammographie (radiographie du sein) permet de déceler la présence de tumeurs avant même qu'elles ne deviennent perceptibles au toucher, ce qui accroît d'autant les chances de guérison; on peut passer une mammographie tous les deux ans, mais comme cela peut devenir un facteur cancérigène avec les années, il est déconseillé de s'y soumettre lors d'un examen de routine quand on a moins de cinquante ans, que les facteurs de risques sont absents et qu'on ne présente aucun symptôme.

Probabilités de rémission: Quand le diagnostic est posé dès l'apparition de la tumeur, le taux de survie est de 85%, cinq ans après le début du traitement; mais si elle a eu le temps de s'étendre jusqu'aux ganglions lymphatiques de l'aisselle, la proportion n'est plus que de 56%. Un diagnostic précoce, tout comme pour les autres types de cancer, est absolument vital.

Le cancer de l'utérus

Facteurs de risques: Le cancer de l'utérus s'attaque soit au col, soit à la muqueuse ou endomètre. Dans le premier cas, les femmes qui sont le plus touchées sont celles qui ont commencé très jeunes à avoir des relations sexuelles et celles qui changent souvent de partenaire. Dans le second, ce sont surtout les femmes qui ont dépassé la cinquantaine qui risquent d'en être victimes. D'autres facteurs de risques sont la ménopause tardive, l'hypertension, l'embonpoint et le diabète.

Signes avant-coureurs: Douleurs et écoulements sanguins inhabituels. Il faut signaler automatiquement à son médecin tout saignement entre les menstruations, tout saignement vaginal ainsi que des règles dont l'abondance est nettement excessive.

Examen médical: Le test de Pap permet, dans 95% des cas, de déceler un cancer du col utérin. On doit le passer chaque année. Pour le cancer de l'endomètre, toutefois, il est préférable de procéder à un prélèvement des tissus, ce qui s'effectue sans douleur et en quelques secondes, grâce à un minuscule appareil de succion.

Probabilités de rémission: Les chances sont excellentes pour celles qui sont atteintes d'un cancer du col utérin, du moment, bien entendu, que le traitement est amorcé dès l'apparition de la tumeur. Il en va de même pour le cancer de l'endomètre dont le taux de survie, au bout de cinq ans, varie entre 80 et 90%.

Le cancer des ovaires

Facteurs de risques: Les causes du cancer ovarien sont encore assez mal connues. On a cependant remarqué qu'il est plus fréquent chez les femmes qui ont atteint la cinquantaine, ou lorsqu'il y a des précédents dans la famille.

Signes avant-coureurs: Ceux-ci n'apparaissent, malheureusement, que lorsque la tumeur est déjà grosse: douleurs dans le dos ou le bas de l'abdomen, enflure de celui-ci, saignement vaginal anormal, troubles de nature intestinale au niveau des selles et de l'urine. Il est indispensable de voir son médecin dès que survient l'un ou l'autre de ces symptômes, quitte à se tromper. Il vaut mieux s'inquiéter à tort plutôt que de s'inquiéter trop tard.

Examen: Le test de Pap et un examen complet du pelvis.

Probabilités de rémission: Une patiente sur trois survit au bout de cinq ans.

Le cancer du poumon

Facteurs de risques: Le tabac occupe, évidemment, le premier rang et est responsable de 80% des cas. Le risque est directement proportionnel au nombre de cigarettes fumées. Chaque jour, quelque cent trente Nord-Américains meurent d'un cancer pulmonaire et le nombre de femmes qui en sont victimes augmente à une vitesse vertigineuse . . .

Signes avant-coureurs: Ceux-ci sont peu nombreux et, par surcroît, vous sembleront presque normaux si vous fumez beaucoup: toux matinale, douleur persistante dans la poitrine, respiration asthmatique. Néanmoins, si vous crachez du sang en toussant ou avez fréquemment des pneumonies ou des bronchites, vous feriez bien de vous faire examiner sans plus attendre.

Examen: Celles qui fument devraient passer une radiographie pulmonaire au moment de leur visite médicale et même deux fois par an si elles sont intoxiquées par la cigarette. Cependant, comme les rayons X ne peuvent détecter une tumeur dont le diamètre serait inférieur à un demi-pouce, un examen des crachats au microscope est nettement préférable puisqu'il permet de diagnostiquer, infiniment plus tôt (plusieurs mois auparavant dans certains cas) un cancer pulmonaire trop peu développé pour apparaître sur une radiographie.

Probabilités de rémission: Tout dépend du moment où le diagnostic a été posé et de la réaction du patient au traitement. Ceci dit, les chances de survie sont très faibles: de 5 à 10% des patients sont encore en vie, cinq ans après le début du traitement. Elles augmentent, toutefois, à 30 ou 35% avec une thérapeutique précoce.

Le cancer de la bouche

Facteurs de risques: Encore le tabac, de même que l'alcool s'il est consommé en grandes quantités et par un fumeur, une mauvaise hygiène buccale, un mauvais ajustement des prothèses dentaires, une irritation chronique causée par une dentition ébréchée.

Signes avant-coureurs: Maux de gorge inhabituels; plaie sanguinolente qui refuse de se cicatriser, protubérance ou induration, tache blanchâtre et dure au toucher ou plaie rouge et veloutée dans la bouche, l'une et l'autre persistant, irritation continuelle de la gorge, difficulté à mastiquer ou à avaler. La douleur, comme telle, apparaît généralement plus tard.

Examen: Le médecin et le dentiste sont les mieux placés pour détecter tout symptôme plus suspect que d'autres. Vous pouvez aussi vous examiner vous-même à l'aide d'une lampe de poche miniature, comme celles en forme de stylo.

Probabilités de rémission: Ici encore, elles varient selon la rapidité du diagnostic et, cette fois-ci, de l'endroit où s'est formée la tumeur (lèvres, contour de la bouche, pharynx, glandes salivaires). Un diagnostic précoce permet un taux de survie parfois supérieur à 50%.

Le cancer du larynx

Facteurs de risques: La cigarette et une forte consommation d'alcool.

Signes avant-coureurs: Enrouement persistant et croissant, protubérance dans la gorge, voix éraillée, toux tenace, difficulté à avaler ou à respirer. Si l'un ou l'autre de ces symptômes dure plus d'une dizaine de jours ou même deux semaines, vous auriez tout intérêt à consulter votre médecin.

Examen: Examen de routine habituel auquel s'ajoutera un autre, plus approfondi, du larynx.

Probabilités de rémission: Avec un diagnostic précoce, le taux est de 80% au bout de cinq ans. Mais si vous traitez la situation avec négligence, vous risquez de perdre vos cordes vocales, et ce, à condition de survivre . . .

Le cancer de la vessie

Facteurs de risques: Le tabac et l'exposition à certains produits chimiques dans des entreprises industrielles qui comportent des risques élevés.

Signes avant-coureurs: Présence du sang dans les urines, douleurs en urinant. Dans ce cas, voyez votre médecin le plus vite possible.

Examen: Examen de routine et analyse d'urine.

Probabilités de rémission: Elles sont de 76% dans le cas d'un diagnostic précoce et, en moyenne, de 62% au bout de cinq ans.

Le cancer du côlon et du rectum

Facteurs de risques: Tout d'abord, l'âge: dans 90% des cas, les victimes de ce cancer ont plus de quarante ans. Selon certains spécialistes, un régime alimentaire trop riche en gras ou en viande rouge comme le boeuf, ou encore faible en fibres, serait, partiellement du moins, responsable de ce type de cancer.

Signes avant-coureurs: Du sang dans les selles, modification de la fonction gastrique, diarrhée, constipation ou les deux simultanément, aérophagie prononcée. Vous ne devriez jamais tenir pour acquis que seules les hémorroïdes sont à l'origine de selles sanguinolentes.

Examen: Examen rectal et des selles, en plus de la visite de routine.

Probabilités de rémission: À peu près deux patientes sur trois s'en sortent, si la tumeur a été repérée dès le tout début.

Le cancer de la peau

Facteurs de risques: Exposition excessive au soleil, surtout pour celles qui ont un teint pâle, des cheveux blonds ou roux et les yeux bleus. Presque tous les cas de cancer de la peau recensés en Amérique du Nord (environ trois cent trente mille par année) sont causés par une trop longue exposition aux rayons ultra-violets. Heureusement, ce type de cancer se soigne sans trop de difficultés. Mais il en existe un autre, mortel cette fois, dont on ne sait pas grand-chose et qui se développe à partir d'un grain de beauté; c'est le mélanome malin.

Signes avant-coureurs: Une plaie qui ne guérit pas, pigmentation anormale d'une région du corps, verrue ou grain de beauté qui change de dimension ou de couleur. Il faut traiter sur-le-champ, avant qu'il ne se propage, tout mélanome dont l'apparition se manifeste par la croissance soudaine, le noircissement et le saignement d'un grain de beauté.

Examen: Outre les visites usuelles, examinez-vous vous-même, de temps en temps. Surveillez surtout la présence de grains de beauté anormalement pigmentés aux endroits où une irritation chronique est plus fréquente, comme la taille, la ligne du col ou celle du soutien-gorge.

Probabilités de rémission: Près de 100% des cas de mélanomes malins, du moment qu'on a eu droit à un traitement immédiat. Sinon, la proportion baisse dramatiquement.

LE TABAC

Il est à peu près impossible de parler du cancer sans penser automatiquement au tabac et à ses méfaits. Malgré toutes les mises en garde diffusées par les organismes de santé, son usage continue de se répandre, en particulier chez les femmes et les très jeunes, deux groupes qui, il y a peu de temps encore, étaient relativement épargnés. Voyons donc quelques faits qui parlent d'eux-mêmes.

• Le tabac est, pour les deux sexes, la première cause du cancer des poumons, de la gorge, de l'oesophage, du pancréas et de la vessie, ainsi que, plus ou moins directement, d'autres types de tumeur maligne. Il est également un sérieux facteur de risques dans le cas des affections cardiaques, infections pulmonaires, ulcères saignants, etc.

• Depuis quelques années, le cancer des poumons revêt presque un caractère épidémique parmi les femmes. Or, comme il se développe très lentement, on peut établir, sans risque de se tromper, un parallèle entre ce phénomène et le moment où, à cause de la libéralisation des moeurs, les femmes se sont mises à fumer en nombre toujours plus grand. D'après la Société américaine de lutte contre le cancer, c'est, après le cancer du sein, celui qui entraîne le plus haut taux de mortalité chez les femmes.

• La cigarette augmente dangereusement les risques d'affections cardiaques chez les femmes qui prennent la pilule, en particulier si elles ont plus de trente-cinq ans; il en va de même pour l'embolie pulmonaire. Le docteur Daniel Horn soutient même qu'il faut attribuer aux effets combinés du tabac et des contraceptifs oraux 80 à 85% des maladies cardiaques. Le danger demeure tout aussi prononcé avec la seule cigarette, comme a permis de le constater une enquête menée par la faculté de Médecine de l'université de Boston parmi les services de cardiologie de plus de cent cinquante-deux hôpitaux. Tous les sujets étaient des femmes de moins de cinquante ans, qui ne prenaient pas la pilule et dont les antécédents familiaux ne présentaient aucun facteur de risques à cet égard. Les risques d'être terrassées par une crise cardiaque étaient multipliés par vingt pour celles qui fumaient un minimum de trente-cinq cigarettes par jour, comparativement aux non-fumeuses. Ils étaient directement proportionnels au nombre de cigarettes fumées quotidiennement et, dans le cas de celles qui avaient abandonné, tombaient presque au niveau des non-fumeuses.

• Le ministère de la Santé, de l'Éducation et du Bien-Être social, aux États-Unis, a révélé que meurent, chaque année, entre mille cinq cents et deux mille nouveau-nés dont les mères fumaient durant leur grossesse. Les autres sont plus petits et plus faibles, en plus d'être davantage exposés à tous les types d'affections pulmonaires et respiratoires. En Angleterre, on a souligné que les enfants nés de mères qui fumaient sont plus petits que les autres et que l'apprentissage de la lecture leur posait beaucoup plus de difficultés.

• Entre 1970 et 1975, le nombre de jeunes filles qui ont commencé à fumer a augmenté d'environ un demi-million; leur pourcentage atteint maintenant 27%. Il semble bien que les campagnes anti-tabac restent sans effet dans leur cas et qu'il faudrait mettre davantage l'accent sur l'exemple donné par les non-fumeurs de leur entourage: parents, amis, professeurs.

• En Amérique du Nord, les maladies engendrées par la cigarette entraînent, annuellement, des dépenses de neuf milliards de dollars en frais directs et de vingt-sept milliards en frais indirects. Cela signifie que les non-fumeurs, qui sont la majorité (deux contre un), sont obligés de payer, par le biais des impôts, pour l'inconséquence des fumeurs.

• Le cancer et les autres maladies causées directement par

la cigarette tuent, annuellement, deux cent soixante-quinze mille personnes en Amérique du Nord, soit une personne toutes les douze secondes.

• Il n'existe pas de cigarettes sans danger. Une teneur plus faible en goudron et en nicotine diminue légèrement le taux de mortalité parmi les victimes du cancer du poumon ou d'une affection cardiaque, mais ce taux demeure tout de même six fois plus élevé que chez les non-fumeurs atteints des mêmes maladies.

• La fumée exhalée par les fumeurs est nocive pour les autres, surtout s'ils souffrent de troubles respiratoires et cardio-vasculaires.

Une seule conclusion s'impose: Si vous fumez, cessez. Et si vous ne fumez pas, évitez à tout prix de commencer!

6

Les nouvelles femmes

EPUIS plus d'une dizaine d'années, un peu partout à travers le monde, on a vu des femmes redresser la tête et revendiquer des droits dont, au nom de soi-disant devoirs, on les avait toujours privées. Une profonde remise en question a suivi, où toutes les valeurs traditionnelles, la répartition des rôles selon le sexe, les stéréotypes ont été allégrement déchirés à belles dents. Parallèlement, on a vu surgir une littérature dite "féministe" qui venait étayer une pensée parfois tumultueuse, mais toujours innovatrice et dynamique ; on a vu des groupes se former, des femmes défiler, pancartes au poing; on a vu des maris faire leur examen de conscience et des patrons se demander si leurs employées n'avaient pas mangé du lion; on a vu des tentatives de récupération, comme l'Année de la femme. Et on a vu aussi des femmes perplexes devant tout ce remue-ménage, anxieuses, conscientes d'un bouleversement qui les forcerait peut-être à prendre le train en marche, mais qui, enchaînées par leur éducation (si bonne et si aliénante, merci ma sœur) et les préjugés dont elles sont à la fois les victimes et les meilleures propagatrices, ne savent plus où elles en sont. C'est avant tout à celles-là que je m'adresse, ainsi qu'à celles à qui le double rôle de mère et d'épouse impose des contraintes dont les femmes sans responsabilités familiales n'ont pas toujours une idée juste. Je

89

veux leur tendre la main pour que ni elles ni leurs filles ne manquent le bateau et qu'elles puissent participer à la plus extraordinaire aventure qu'il leur ait été donné de vivre, depuis deux mille ans qu'existe notre civilisation : la naissance de la nouvelle femme.

Il n'est jamais facile de se libérer, que ce soit d'un tyran ou de soi-même. C'est une démarche longue et pénible, où le doute et le découragement nous guettent à chaque tournant. J'ai déjà raconté, au début de ce livre, tout le chemin qu'il m'a fallu parcourir avant d'être réellement capable de prendre ma destinée en main. Lectures, réflexions, discussions, mise en pratique des idées féministes qui me semblaient les plus pertinentes, tout m'a été bon. J'ai, comme tant d'autres avant moi, rejeté le carcan des idées toutes faites et, reprenant à mon compte le slogan de la réforme scolaire des années 60 : "Qui s'instruit s'enrichit", j'ai effectivement réussi à découvrir qui je suis et qui je veux être. Les "paroles de femmes", qui ont remplacé, souvent avec virulence, toutes les analyses — freudiennes et autres — sur la "nature féminine" dont le seul but était de nous culpabiliser et de nous enchaîner davantage, ont réellement été l'outil de ma libération et de la conquête de moi-même.

Mais pourquoi, comme le demande l'écrivain Benoîte Groult que j'admire et chez qui j'ai largement puisé, pourquoi s'interroger une fois de plus sur les femmes? Peut-être parce que, comme s'en étonne l'Euguélionne, les femmes constituent la seule majorité qui vive dans la sujétion, mais surtout parce qu'on n'a à peu près jamais envisagé la réalité quotidienne de cette libération, ce que les tenants du haut savoir appellent le "vécu". À dix-huit ou vingt ans, alors que, de toute façon, on envoie promener sans distinction toutes les valeurs de papa, il est extrêmement facile d'en faire autant avec celles de maman. Mais, à trente-cinq ou quarante ans, quand on a un mari, des enfants, un passé et des habitudes, c'est infiniment plus difficile. D'autant plus que ça dérange. Pas seulement nous-mêmes dont la tête se hérisse de points d'interrogation au lieu de bigoudis, mais aussi ce cher "seigneur et maître" et ces "chères petites têtes blondes" qui ne reconnaissent plus leur esclave préférée. Les chaînes se secouent dans un bruit d'assiettes entrechoquées, d'aspirateur dirigé par une main inexperte et qui heurte les meubles, de jouets ramassés par des menottes qui n'en avaient pas l'habitude, le tout au milieu d'innombrables grincements de dents, dont les nôtres. Pourtant, il n'est pas question de renoncer et de rentrer dans le rang. Il suffit, pour se convaincre de la nécessité de notre démarche, de penser au mépris, aux ricanements, aux sourires amusés et condescendants qui accompagnent automatiquement la moindre allusion au M.L.F. ou à toute autre manifestation de la volonté féminine.

Toutes, nous avons eu et avons encore, malheureusement, trop tendance à nous rogner nous-mêmes les ailes, chaque fois que, à l'instar des hommes, nous nous considérons comme quantité négligeable et que, comme les paysannes d'antan, nous nous tenons mentalement debout à côté de la table où les hommes se font servir. Mais tout le monde a le droit de s'épanouir, de se réaliser. Nous faisons tout pour aider nos maris dans leur carrière, nous nous inquiétons si nos enfants semblent freinés dans leur évolution, alors pourquoi n'aurions-nous pas, nous aussi, le même droit? Personne n'est né "pour un p'tit pain", et nous non plus.

Les hommes mettent nos compétences en doute dès qu'elles s'exercent à l'extérieur de la maison. Mais cela fait des siècles que nous gérons un budget, faisons marcher une maison, éduquons des enfants, pansons des plaies et des peines de coeur, jonglons avec l'inflation. Combien, parmi eux, pourraient nous remplacer au pied levé! Voici bien la preuve que nous ne sommes ni dépourvues de logique, ni stupides, ni écervelées et que nous savons administrer, organiser, enseigner, garder la tête froide et les pieds sur terre. Et je n'insisterai pas sur notre résistance physique, objet de tant de leurs sarcasmes! Il s'en fait des kilomètres entre la cuisine et la salle de jeu, il s'en passe des rhumes, un kleenex dans une main et la louche dans l'autre. Vacances, congés payés?

Inconnus au bataillon! Alors, quelles lacunes peut-on bien nous reprocher?

Si vous réfléchissez à tous ces points, force vous sera d'admettre que, depuis des siècles, on nous a inculqué des idées fausses, des principes mensongers. Dès lors, une seule conclusion s'impose: si ces valeurs nous détruisent, il faut les rejeter et les remplacer par d'autres qui, cette fois, ne nous causeront plus aucun préjudice.

J'en parle en connaissance de cause puisqu'il m'a fallu, en quelque sorte, vivre deux vies pour le découvrir! J'ai, d'abord, été une femme passive qui faisait tout ce qu'on lui disait, bien sagement. Puis, après une pénible prise de conscience, je suis devenue une femme active, sûre d'elle-même, de ce qu'elle veut, de ce qu'elle est. Je ne parle, aujourd'hui, que de sujets qui m'intéressent, ne travaille que dans des conditions où je suis pleinement respectée, refuse tout ce qui pourrait me faire retomber dans mon ancienne aliénation.

Quand on a découvert comment vivre en harmonie avec soi-même, quand on a eu le courage de donner un bon coup de balai dans ces vieilles valeurs aussi démodées et étouffantes que le corset de nos arrière-grand-mères, la vie devient incroyablement merveilleuse et tout s'illumine autour de nous. Cela vaut vraiment la peine de franchir tous les obstacles qui encombrent notre route, de serrer les dents et de tenir le coup à tout prix. C'est seulement de cette façon que nous pourrons former une nouvelle génération de femmes libres et épanouies, et enseigner à nos filles et à nos fils que l'autonomie n'a pas de sexe.

Je veux partager avec vous mes découvertes, mais non vous imposer ma vérité (d'autres s'en sont déjà chargés!). La vérité, vous la trouverez en vous, elle se manifestera d'elle-même, grâce à la réflexion, aux échanges d'idées, aux questions que vous vous poserez.

7
Se libérer : une démarche longue et pénible

*L*ES "nouvelles femmes", selon l'expression de Benoîte Groult, n'ont pas toujours été "nouvelles". Ce sont des femmes comme toutes les autres, à cette différence près qu'elles ont décidé de vivre comme elles l'entendent, en accord avec elles-mêmes. Il leur a donc fallu s'interroger, faire le tri de leurs idées, inventer de nouveaux concepts et, par-dessus tout, découvrir la solidarité entre femmes. Bien entendu, cela ne s'est pas fait sans inquiétudes et tâtonnements, mais c'est grâce à ces faux pas et à ces questions que notre horizon s'élargit enfin et que l'avenir nous appartient. Ces femmes sont à l'avant-garde d'un mouvement irréversible. Plus déterminées, plus conscientes que la majorité de leurs consoeurs, elles se révèlent des défricheuses, des agents de changements sociaux, des innovatrices, et leur attitude fait boule de neige dans tous les domaines : affirmation de l'identité, nouvelle répartition des rôles, à l'intérieur du couple, maternité vécue comme un choix et non plus comme un sort inéluctable, droit au travail, droit à une vie sexuelle dynamique, et la liste pourrait se prolonger encore longtemps.

Une enquête, menée en France par la société Cofremca et où il s'agissait de comparer la participation des hommes et des femmes à divers courants d'évolution, met en lumière tout le dynamisme dont les femmes sont capables, du moment qu'on leur permet de faire leurs preuves. On a ainsi constaté qu'elles devancent les hommes dans neuf de ces courants, entre autres, "la simplification de la vie", "la sensibilité au cadre de vie", "l'anti-manipulation", "le rejet de l'autorité", "la compréhension de soi et des autres", "une différenciation moindre des sexes". En outre, dans le secteur "défricheurs et innovateurs", on relevait, en 1976, 8% de femmes et 11% d'hommes, et, en 1978, 13% de femmes, mais toujours 11% d'hommes.

En s'appuyant sur cette étude et sur bien d'autres du même type, on s'aperçoit que les femmes sont, tranquillement, en train de faire une révolution bien à elles. Elles assiègent sans bruit, en adultes, les vieilles forteresses des valeurs traditionnelles, impatientes d'en finir avec les mythes et les stéréotypes dans lesquels la société masculine les avait enfermées et qui les avaient obligées à étouffer leur vraie nature, travestir leur intelligence et leur affectivité, taire leurs aspirations les plus légitimes. Mais, tout en affirmant, peut-être pour la première fois dans l'histoire de l'humanité, leur droit d'exister en tant que personnes et non plus en fonction d'un mari et d'enfants, elles savent bien qu'elles s'enfermeront dans un piège si leur émancipation ne s'accompagne pas de celle des hommes. C'est pourquoi je poursuivrai mon analyse en fonction du couple et même, parfois, de la famille tant il est vrai, tout bien considéré, que l'émancipation de la femme représente, en réalité, celle de la société tout entière.

En joignant les rangs des nouvelles femmes, en vous inspirant de leur exemple, en inventant des solutions adaptées à votre situation, en incitant ceux qui vous entourent à évoluer également, vous participerez à l'avènement d'un monde nouveau où tout être, sans distinction de sexe, aura droit à sa place au soleil.

LA SOLIDARITÉ

Sauf à la "petite école", et encore, on nous a toujours appris à nous considérer, entre femmes, comme des rivales. La raison en est claire: elle découle du vieux principe "diviser pour régner". Du moment que les femmes sont occupées à se chamailler, elles ne risquent pas de se liguer contre les hommes et de s'en prendre à leurs privilèges. Par leurs dissensions, elles se chargent elles-mêmes de les perpétuer. Pourtant, quelle que soit leur classe sociale ou leur nationalité, les femmes subissent la même exploitation; seuls les moyens diffèrent. Voilà pourquoi il est tellement indispensable que nous apprenions à nous parler, à nous considérer comme des amies, des complices ou des soeurs d'armes. Combien de femmes n'ont d'autre occasion de bavarder avec leur voisine que lorsqu'elles étendent le linge sur la corde? Ces fameuses conversations du lundi, une épingle de bois entre les dents! Dans les quartiers où les femmes ont commencé à se regrouper, elles ont découvert, au fil des discussions, que des situations vécues et perçues comme des cas isolés étaient, en fait, collectives. Elles s'encouragent mutuellement à tenir le coup, analysent leurs difficultés, inventent des solutions. Des garderies ou des coopératives alimentaires sont mises sur pied; des actions sont entreprises pour dénoncer les logements vétustes, l'absence d'espaces verts ou les rues dangereuses pour les enfants; des cours de perfectionnement ou de culture personnelle sont organisés. Les fronts communs ne sont pas réservés aux seuls syndicats et n'ont pas toujours besoin d'envahir le trottoir. Et, bien souvent, les femmes s'étonnent elles-mêmes. Jamais elles n'avaient eu l'occasion de laisser libre cours à leur imagination, à leur créativité, à leurs talents pour leur propre compte, elles qui sont pourtant, et depuis toujours, les piliers du bénévolat. C'est pourquoi vous ne devriez jamais vous croire coupables de "voler" un après-midi à votre famille. Plus vous vous épanouissez et plus les vôtres en bénéficieront. Ce n'est qu'un prêté pour un rendu! L'essentiel est donc que vous ouvriez votre porte toute grande, que ce soit vous qui la franchissiez ou vos nouvelles amies. Celles d'entre vous qui sont habitées par la crainte d'être rejetées ont tout à y gagner. Seules ou en groupe, faites la liste de vos peurs les plus secrètes et, en discutant, vous verrez qu'elles n'ont d'autres fondements que les contraintes imposées par la société et ses représentants directs que sont maris et enfants. Dépoussiérez-les, regardez-les froidement et vous découvrirez que vous êtes plus fortes, plus solides que vous ne l'auriez jamais cru. À force de réfléchir de cette façon, vous finirez par reprendre contact avec vous-même. Et les autres vous y aideront autant que vous les aiderez. Du reste, il existe un moyen très simple pour y parvenir. Prenez une feuille de papier et notez dix éléments répondant à la question "qui suis-je?" Ensuite, sur une autre feuille, faites de même avec la question "qui serai-je?" en essayant de vous imaginer, vous et les vôtres, dans une dizaine d'années. Tenez compte de vos rêves et de vos désirs profonds, laissez-les influencer votre réalité. D'autre part, notez, pendant une semaine, toutes vos activités quotidiennes, heure après heure. Combien de temps avez-vous pu vous consacrer? Que faire pour disposer de quelques moments d'intimité? Et à quoi les emploieriez-vous? Il faut savoir être égoïste et ne pas hésiter à dire à un enfant: Non, je ne jouerai pas tout de suite avec toi, je suis fatiguée, je suis en train de lire, etc. Passer la journée à courir de l'épicerie à l'école, du four à la machine à laver n'a rien de spécialement stimulant sur le plan personnel. Vous devez donc vous imposer des moments de répit qui n'appartiendront qu'à vous. Après tout, les travailleurs ont bien droit à des pauses-café. Alors, vous êtes parfaitement justifiée de vous offrir une "pause-moi". Si les autres s'en étonnent, ils seront obligés de réfléchir à ce revirement de situation et, s'ils vous aiment, ils ne pourront que trouver cela parfaitement normal. En outre, soyez sûre que mari et enfants seront fiers de pouvoir dire de vous: Ma mère (ou ma femme) est une organisatrice hors pair, ou fait de la peinture, a fabriqué tous les meubles de la salle de jeu, est une avocate très écoutée. Ils cesseront de vous

confondre avec les appareils électro-ménagers et leur respect
pour vous en sera décuplé.

L'AFFIRMATION DE SON IDENTITÉ

Tout le monde sait que, sinon selon l'esprit du moins selon le
lettre, la femme qui se marie devient propriété de l'époux. La
première manifestation de cette prise de possession passe par
le changement de nom. Alors que depuis vingt ou vingt-cinq
ans, vous étiez Francine Dubuc, voici que vous devenez
madame Maurice Pouliot. Vous serez peut-être aussi la secré-
taire de monsieur Giroux ou la mère de Pierre et Jacqueline,
mais on n'entendra plus parler de Francine Dubuc. Cette tradition, qui va à l'encontre de la loi — soit dit en passant —, est
tellement ancrée dans les moeurs que les femmes en arrivent
à se décrire d'après leur entourage et non en fonction de leurs
aspirations ou de ce qu'elles aiment. Cela prouve bien à quel
point ce changement de nom annule psychologiquement le
sens de la personnalité. Les femmes s'effacent derrière ceux
qu'elles considèrent comme leur seule raison d'être. Sinon,
elles se sentent déracinées, perdues. Malgré les railleries ou
l'incompréhension de ceux qui ont tout intérêt à perpétuer
cet état de choses, il est donc très important de conserver son
nom parce que cela revient à affirmer qu'on est soi-même et
non la mère, la femme ou la bonne de X. Pour ma part,
quand on me présente, je tiens à entendre mon nom et non
celui de mon mari. J'adore et je respecte celui avec qui je
partage ma vie, mais je me respecte et m'aime tout autant.
Cela n'a rien à voir. Je suis Mariette Lévesque, un point c'est
tout. J'aimerais bien voir la tête que ferait Maurice Pouliot
si on le présentait comme monsieur Francine Dubuc . . .
Pourtant, je suis convaincue qu'il trouve tout à fait normal
de voir sa femme perdre son identité pour devenir partie inté-
grante de la sienne. Certaines objecteront que Dubuc était le
nom du père de Francine et non de sa mère et que, de toute
façon, celle-ci portait le nom de son propre père, et ainsi de
suite. Bien sûr, mais il faut bien commencer quelque part et

Francine, s'appelant Dubuc depuis sa naissance, a déjà pu s'affirmer sous ce nom.

Cela m'amène à parler de cette question du "madame ou mademoiselle?" qui n'a d'autre but que de renseigner l'interlocuteur mâle s'il peut tenter sa chance ou s'il se heurte à une "chasse gardée", à une "propriété privée, défense d'entrer". Il manque seulement le "prenez garde au chien", ce serait complet. Nous, pour notre part, faisons peu de cas du statut civil du réparateur de télévision ou du garçon d'ascenseur. Mais impossible de demander notre chemin ou de nous faire livrer une prescription sans avoir à préciser si nos soirées nous appartiennent ou non. Une fois encore, on nous définit par rapport à quelqu'un d'autre (ou à son absence — temporaire, espèrent ces bonnes gens), mais non en fonction de l'être que nous sommes . . .

Quand on commence à réfléchir sérieusement, à peser le pour et le contre, à chercher le pourquoi et le comment, on s'aperçoit que rien n'est secondaire, ridicule ou inutile. L'aliénation de la femme a été poussée si loin que le moindre détail est lourd de signification. Si on n'y prend garde, on risque fort de tourner en rond.

L'ÉCOLE DES MARIS

Contrairement à l'opinion qui a primé pendant des siècles, les femmes ne sont pas la simple combinaison d'une matrice et d'un robot domestique. Malheureusement, les trop rares femmes qui, au cours de l'histoire, ont réussi à faire leur marque en dépit de leur sexe n'ont obtenu, en pratique, d'autre résultat que de renforcer les hommes dans leur volonté de nous interdire systématiquement l'accès aux postes clés de la société. Or, les nouvelles femmes ne l'entendent plus de cette oreille et entreprennent massivement de leur faire comprendre que l'ère de la soumission tire à sa fin et qu'il leur faudra, désormais, compter avec elles.

Dans le contexte conjugal, cette attitude implique, cela va sans dire, un "recyclage" complet où ce n'est plus seule-

ment la femme qui est en cause, mais également le mari. Car
à quoi bon évoluer seule alors qu'il faut être deux pour former un couple. Toutefois, si la femme, sachant ce qu'elle veut
et où elle va, est prête à tout bouleverser pour réaliser son
émancipation, il n'en va pas de même avec l'homme qui, au
début du moins, s'imagine qu'il a tout à perdre et rien à

gagner. Pour vaincre son refus de changer sa façon de penser, il faut donc faire preuve à la fois de psychologie et de fermeté. Il est certain que nos compagnons n'ont plus le choix et que, tôt ou tard, ils devront se faire une raison. Mais on ne ferait que retarder les choses en les amenant à se braquer. C'est cet apprivoisement de l'homme, l'obtention progressive de son adhésion à une nouvelle forme de vie commune, que j'appelle "l'école des maris". Les matières inscrites au programme sont aussi multiples que nos activités quotidiennes et nos désirs refoulés. Mais il n'y a qu'un seul diplôme: la reconnaissance de notre entière autonomie au sein du couple, ce qui sous-entend à la fois liberté de choix et partage des tâches autant domestiques qu'éducatives. Bien entendu, les hommes, surtout lorsque leurs habitudes sont consolidées par l'âge, n'acceptent pas tous d'emblée ces cours du soir imprévus. Mais la volonté de changement qui gagne de plus en plus de femmes est trop forte, trop profonde, trop nécessaire pour qu'elles se contentent du partiel ou du provisoire. Des femmes qu'on disait conservatrices, timorées, immobilistes optent tranquillement, mais avec détermination, pour des solutions qui sont parfois de véritables révolutions. Elles ont dépassé le stade des jérémiades ou du rejet pur et simple de tout ce qui est masculin et en sont à l'expérimentation de formules nouvelles. Il ne s'agit pas, pour elles, de refuser le mariage, mais plutôt de le repenser complètement. On ne se marie plus pour les mêmes raisons qu'autrefois, quand c'était la seule issue possible pour les femmes qui voulaient avoir une vie sexuelle, des enfants, une sécurité matérielle et affective. Tout ça, maintenant, on l'obtient sans grande difficulté. Il faut donc autre chose pour que deux personnes décident de faire route commune. Débarrassé de ces à-côtés, l'amour est plus entier, plus authentique, mais lui non plus n'est pas tout. Ce qu'on recherche, finalement, dans le mariage moderne, c'est une amitié privilégiée, une certaine forme de complicité, une même façon d'envisager la vie.

Après tous ces siècles où la femme oscillait entre la révolte stérile et la résignation muette, on voit surgir une nouvelle image du couple, accompagnée d'une nouvelle façon d'envisager et d'assumer le rôle de parents. Ce sont surtout les jeunes qui ont pris la tête de ce mouvement, mais rien ne nous oblige à terminer nos jours en "Donalda". Trop de femmes sacrifient encore leur propre bien-être à celui de leurs enfants, sans se rendre compte qu'en agissant ainsi elles leur rendent un bien mauvais service puisque, d'une part, leur manque d'épanouissement les empêchent de leur enseigner d'autres valeurs et que, d'autre part, ceux-ci ne pourront que reprendre ces mêmes rôles, une fois parvenus à l'âge adulte. Comment pourraient-elles se sentir heureuses quand elles sont rongées par le regret de voir leurs compétences inutilisées, par l'humiliation de la dépendance financière, par la frustration d'être toujours confinées à la maison, par l'angoisse du vide qui les attend le jour où les enfants auront quitté le foyer. Il est vrai qu'une forte proportion de femmes sont profondément satisfaites de leur sort et ne l'échangeraient contre aucun autre. Ce sont des épouses et des mères comblées qui n'aspirent pas à une autre forme de vie, ce en quoi elles ont parfaitement raison. Cela ne suffit pas, toutefois, pour justifier le fait qu'on impose le même destin à toutes les autres et qu'on leur refuse le droit de choisir entre ce genre de vie et un autre qui correspondrait davantage à leurs aspirations. Du reste, beaucoup avouent que, probablement à cause des transformations sociales, le cumul des tâches domestiques et éducatives leur pèse passablement plus qu'autrefois. La télévision, entre autre choses, inculque aux enfants des valeurs qui n'ont à peu près aucun point commun avec celles qu'elles voudraient leur enseigner; même lorsque le mari fait sa part, cela n'est guère facile. Que dire alors de ceux qui, à peine rentrés du travail, n'ont rien de plus pressé que de se carrer dans un fauteuil avec un journal en guise de bouclier contre les difficultés et le surcroît de travail où se débattent leurs femmes. Ceux-là, il faut à tout prix les faire entrer, de gré ou de force, à l'école des maris et, le cas échéant, à l'école des pères!

Les gains acquis depuis quelques décennies — droit à

l'instruction, droit de vote, accès à un nombre croissant de professions — ont incité les femmes à croire que le plus dur était fait. Mais il ne faut pas se leurrer. Un minimum d'égalité sur le plan social ne peut compenser pour l'inégalité au sein du couple. Et bon nombre de femmes estiment que les luttes les plus dures se feront à propos de la répartition des tâches ménagères parce que c'est justement ce point qui est la pierre angulaire des attitudes masculines. Selon l'enquête de la Cofremca dont nous avons déjà parlé, "une 'nouvelle femme' sur trois aime faire la cuisine, une sur quatre seulement aime coudre et entretenir les vêtements, une sur cinq aime faire le ménage, la lessive et la vaisselle". Pourtant, elles sont deux sur trois à "faire tout ou à peu près tout à la maison", le petit coup de main du mari se réduisant trop souvent à descendre les poubelles et à déboucher les bouteilles à table! On constate donc que 65% des nouvelles femmes continuent de se charger de tout, ce qui est d'autant moins acceptable qu'elles ne sont que 19% à bénéficier d'une aide ménagère. Heureusement, l'avenir semble prometteur, grâce à ceux des hommes qui ont amorcé leur évolution personnelle. S'ils découvrent que les travaux domestiques sont moins faciles et moins ennuyeux, jusqu'à un certain point du moins, qu'ils ne se l'imaginaient, ils découvrent simultanément qu'ils avaient des talents cachés. La cuisine est probablement la tâche qui les ravit le plus; il est vrai qu'il s'agit d'un domaine où la gratification ne se fait pas attendre et où les lauriers couronnent rapidement le front du nouveau maître queux. Quelques-uns, encore très peu nombreux, s'aperçoivent qu'il n'est pas nécessaire d'être un grand couturier pour aimer jouer avec les étoffes, couper un vêtement ou même tricoter. Mais tous se rendent très vite compte que s'ils partagent les tâches les plus monotones avec leur femme — vaisselle, ménage, lessive —, celle-ci, ainsi libérée, est davantage disponible, que ce soit pour bavarder, pour sortir ou pour se joindre à eux dans une activité commune et habituellement perçue comme "extra-conjugale": réunions politiques, artisanat, chasse ou pêche, et j'en passe. Du coup, leur vie conjugale prend une tout autre dimension, infiniment plus enrichissante qu'à l'époque où la maison était le fief de la femme et où l'homme n'y rentrait que pour jouer le rôle du seigneur et maître.

Toujours dans ce domaine des découvertes, les pères qui n'attendent pas que leur enfant soit assez grand pour frapper un ballon, avant de donner libre cours à leur instinct paternel, apprennent que s'occuper d'un nouveau-né comporte des joies insoupçonnées. Un père qui a nourri, changé, endormi son enfant, le verra avec des yeux différents et cessera de le percevoir comme un petit être plus ou moins émouvant, braillard et qui, jusqu'à ce qu'il joue avec son train électrique, est l'exclusive responsabilité de la mère. Bien au contraire, il se passionne pour son évolution, ses premiers sourires, ses premiers pas, ses premiers mots. Sa conception de l'autorité paternelle fait place à un rôle de guide, d'éducateur. Il apprend que, même très jeune, un enfant peut prendre des initiatives et assumer des responsabilités, qu'il peut être un extraordinaire compagnon. De concert avec la mère, il donne à ses enfants une nouvelle image, beaucoup plus juste et équitable, de l'homme et de la femme. Il n'y a plus dominateur ni dominés. Il y a des êtres qui s'aiment et qui vivent ensemble, chacun participant pleinement à l'épanouissement des autres. C'est ce que souligne Elena Belotti, dans *Du côté des petites filles,* un livre que tous les parents, hommes et femmes, devraient lire et relire : "Si l'on cesse de former le garçon à dominer et la fille à accepter et à aimer cette domination, des expressions individuelles inattendues et insoupçonnées, beaucoup plus riches et plus créatrices, peuvent s'épanouir au-delà des stéréotypes étroits et contraignants." Finalement, si on y pense bien, exiger de l'homme qu'il fasse sa part à la maison, qu'il participe à l'éducation de ses propres enfants, n'est rien d'autre qu'une forme de respect à son égard : après tout, il n'est ni manchot, ni cul-de-jatte, ni totalement débile! Dans ce cas, pourquoi le priver de ces joies et de ces responsabilités qui, si elles sont une source d'enrichissement et d'épanouissement pour la femme, ainsi qu'on nous le répète depuis toujours, ne risquent pas de le dévaloriser, bien au contraire. C'est ainsi qu'une nouvelle génération de pères, enfantés eux aussi par les nouvelles femmes, est en train de voir le jour, donnant au mouvement un caractère irréversible. Et, conséquence on ne peut plus importante de ce revirement de situation, la maternité cesse d'apparaître aux femmes, surtout aux plus jeunes, comme la négation d'autres aspirations qui, à leurs yeux, sont aussi valables.

LA MATERNITÉ EST UN CHOIX ET NON UNE SERVITUDE BIOLOGIQUE!

On se plaint, dans la plupart des société occidentales, d'une baisse marquée de la natalité. Mais faut-il vraiment s'en surprendre? Si la société évolue, il en va de même des femmes qui refusent d'admettre que leur destin inclut inéluctablement la procréation et l'éducation, sans autre alternative possible. Elles se considèrent davantage comme des êtres humains qui ont le choix d'acquérir une dimension supplémentaire, mais, ainsi qu'il en va de tout choix, peuvent l'accepter ou le refuser. Autrefois, l'enfant était, tout bien considéré, une panacée. C'était l'enfant-refuge, l'enfant-solution, l'enfant-récompense, l'enfant-possession. Du même coup, il devenait un enfant utilisé au lieu de se voir reconnaître le droit d'être un individu à part entière.

Aujourd'hui, la perception qu'on a de l'enfant s'est, Dieu merci, modifiée. Les femmes considèrent inacceptable de jouer les poules pondeuses sans se préoccuper de la qualité de la vie qu'elles pourront offrir à leurs enfants. Être mère, c'est infiniment plus que simplement donner la vie. C'est une responsabilité qui incombe *à la société tout entière* et non à la mère, à l'exclusion de tout autre. L'importance du père commence enfin à se faire jour, mais le problème n'est pas réglé pour autant, loin de là, car ils sont encore trop nombreux, ceux qui limitent leur rôle à celui de pourvoyeur familial et se lavent les mains de tout le reste.

On crie haro sur toutes les femmes qui exigent de pouvoir décider de leur maternité, on les traite de femmes indignes, contre nature, plus attirées par le péché que par leurs responsabilités inhérentes au sexe dont les a dotées la nature, et que sais-je encore. Or, cette exigence n'est rien d'autre que la marque de l'extrême respect qu'ont ces femmes face à la procréation. Plus que les autres, elles sont conscientes de la gravité de l'acte qu'elles posent dès l'instant où elles décident de concevoir. Elles exigent que l'enfant à naître ait toutes les chances de son côté, qu'il ait droit à un épanouissement total afin de pouvoir devenir un adulte responsable et serein. Mais la société qui continue d'imposer la maternité aux femmes, tout en refusant de voir plus loin, ne fait rien pour les aider à l'assumer. Nous avons vu, plus haut, qu'une femme frustrée peut difficilement offrir une vie enrichissante à son enfant qui lui apparaît, alors, davantage comme un boulet au pied que comme la possibilité de se réaliser. Nous savons que les femmes qui travaillent à l'extérieur de la maison, que ce soit par choix ou par obligation, font une deuxième journée dès qu'elles arrivent chez elles, le soir. Les garderies sont rarissimes ; les employeurs conservent une mentalité réactionnaire, refusant la flexibilité des horaires qui permettrait autant au père qu'à la mère de s'absenter en cas de maladie, par exemple, ou de grève des professeurs (il s'agit, à notre époque, d'une réalité qui se fait de plus en plus fréquente et est loin de faciliter les choses), ou encore de commencer et de terminer plus tôt la journée de travail pour que le jeune enfant, sa clé pendue au cou, ne reste pas sans surveillance ni protection entre son retour de l'école et celui de ses parents. Les patrons s'obstinent à considérer que seule la femme est responsable de l'enfant et agissent en conséquence au moment de l'embauche, de la détermination du salaire, de l'attribution d'une promotion.

Les femmes d'aujourd'hui ne se laissent plus abuser par les belles homélies sur le bonheur sans nuages de la maternité. Elles savent qu'on fait un enfant pour lui-même et non pour combler le vide d'une vie passée au foyer ou pour tenter de recoller un mariage qui tourne à la faillite. Elles refusent de satisfaire la société qui compte abusivement sur leur "instinct maternel" pour se procurer, à peu de frais, les consommateurs et la main-d'oeuvre nécessaires à son équilibre économique, mais qui ne se préoccupe nullement de l'équilibre psychique ou physique de celles qui sont contraintes à la double journée ou à des maternités répétées. Plus que jamais, elles se montrent lucides et responsables. La maternité n'est plus l'expression suprême de la féminité, concept qui date de l'époque où on pouvait à la fois être vierge et mère . . .

Malheureusement, là comme ailleurs, les mauvaises habitudes ont la vie dure et on s'aperçoit qu'il est plus facile d'agir sur la nature que sur la tradition. Qu'on pense simplement aux luttes acharnées qu'ont dû mener les femmes pour que la contraception entre enfin dans les moeurs ou à celles qu'elles continuent de livrer pour que celles qui sont acculées à l'avortement ne soient plus systématiquement massacrées . . . Tout est fait pour culpabiliser les femmes qui ont décidé d'agir en adultes responsables, conscientes de la portée de leurs actes, les plus dures, à leur endroit, étant bien souvent celles de leurs consoeurs qui se résignent encore à avoir des enfants à cause des pressions sociales et restent chez elles pour les élever, la rage au coeur, en pensant à ce qu'elles auraient pu faire dans d'autres circonstances, tout ça pour finir en anti-féministes irrationnelles. Tous les arguments sont bons, tous les coups sont autorisés. Le moins qu'on puisse dire, c'est que notre société ne laisse pas beaucoup de chances au coureur. Elle permet une inflation effrénée, tolère des profits excessifs (ceux des compagnies pétrolières, par exemple), condescend avec parcimonie à l'instauration d'un réseau de garderies, apprend aux enfants que violence et argent sont les deux mamelles de la réussite, fait du "chacun pour soi" et de la rivalité des qualités bien plus importantes que la solidarité et la largesse d'esprit. Mais elle stigmatise les femmes qui osent se rebeller contre cet état de choses au nom de leur propre épanouissement et de celui de ces enfants qui, parce que ce sont elles qui donnent la vie, seront la société de demain. Elle les cloue au pilori lorsque le manque à gagner les oblige à accepter des emplois mal rémunérés, lorsqu'elles cherchent d'autres voies, d'autres façons d'envisager la vie afin d'éviter que l'homme continue d'être un loup pour l'homme. Elle les accuse d'égoïsme passible des plus lourds châtiments si elles ne se sentent pas prêtes à avoir des enfants dans un monde si peu fait pour eux ou si elles préfèrent exercer une profession plutôt que d'être condamnées à vingt ans d'incarcération familiale. Elle va même jusqu'à évaluer, comme en usine, le nombre d'heures consacrées à un enfant en fonction de la quantité plutôt que de la qualité.

Cette dernière attitude est un piège où beaucoup (dont moi-même, à un moment donné) sont tombées, dévorées par un énorme complexe de culpabilité qui les empêchent de voir que, en réalité, leurs enfants se portent parfaitement bien et ne sont pas forcément abandonnés au ruisseau parce qu'elles ont un emploi. Le succès de l'éducation n'a strictement rien à voir avec le temps qu'on y consacre. Il dépend bien plus de l'intensité des moments passés auprès de l'enfant. Mais bon nombre d'entre nous ne l'ont pas encore compris, à cause, essentiellement, des pressions sociales. L'attitude d'un enfant vis-à-vis du travail de sa mère est, généralement, le reflet de ce qu'elle éprouve elle-même. Son instinct lui permet de déceler la moindre parcelle de culpabilité et d'en profiter. Du coup, le cercle infernal est bouclé: le comportement de l'enfant exacerbe la mauvaise conscience de la mère, le moment de la séparation, devant la porte de la garderie, est vécu dans une atmosphère d'angoisse et de drame, et, en désespoir de cause, bien des mères renoncent à mener une vie à la fois autonome et familiale pour ne pas en faire payer le prix à leurs enfants. Or, il s'agit ici d'une situation entièrement faussée et qui s'inscrit, comme le reste, dans le cadre de la sujétion féminine.

Des études ont, en effet, démontré que les femmes qui travaillent passent proportionnellement plus de temps avec leurs enfants que celles qui restent au foyer. Ces dernières, accaparées par les tâches ménagères, sont souvent beaucoup moins "présentes" et sont davantage portées à coucher les petits de bonne heure afin de s'accorder un moment de répit, à les envoyer jouer dehors dès qu'ils en ont tout juste l'âge pour ne pas les avoir dans les jambes, à les confier aux grands-parents durant le week-end, afin de souffler un peu et de connaître un minimum de vie conjugale.

À l'inverse, les femmes qui travaillent à l'extérieur "veulent que les moments qu'elles passent avec leurs enfants soient vraiment privilégiés", comme le souligne Margaret Baker, professeur de psychologie au Chestnut Will College, de Philadelphie. En outre, du moment qu'ils ont de leur mère et de son absence une image stable et rassurante, les petits acceptent très bien ce mode de vie. Ils deviennent auto-nomes plus rapidement, apprennent à se débrouiller et à surmonter leurs difficultés. Par conséquent, surtout lorsque les parents se partagent les travaux domestiques, le retour à la maison est une fête et les week-ends sont l'occasion d'une relation beaucoup plus intense et, affectivement, gratifiante pour tout le monde. Aux États-Unis, le nombre de femmes qui travaillent à l'extérieur a presque doublé depuis 1970 et, toujours selon Margaret Baker, les familles où les deux époux sont absents pendant la journée sont aussi heureuses et épa-nouies que celles où la mère reste à la maison. On aura d'au-tant moins de mal à s'en convaincre si on pense, comme l'ont confirmé des études sociologiques, que même les adultes les mieux intentionnés n'ont, au grand maximum, que six heures de contacts positifs, par jour, avec leurs enfants. Je ferai donc remarquer aux fanatiques de l'horloge que, entre le moment du lever et celui du départ ainsi qu'à partir du retour de toute la famille à la maison jusqu'à l'heure du coucher, le compte y est presque! Et ce, sans parler des week-ends. Toutes les fem-mes qui ont pris conscience de cette réalité ont, du même coup, enterré doutes et remords. Et leurs rapports avec les enfants ont cessé d'être essentiellement "utilitaires" — bain, repas, discipline, devoirs — pour accorder une plus grande place à l'imagination, à la fantaisie, au rire, à l'imprévu.

Que, sur la base de ces faits dûment prouvés, les gens acceptent enfin de s'ouvrir les yeux et de renoncer à leurs habitudes moyenâgeuses, et on aura alors l'espoir de voir disparaître l'antagonisme "femmes au travail — femmes au foyer" qui, en plus de nous diviser entre nous, laissait sournoisement entendre que celles qui travaillent n'ont pas de foyer et que celles qui restent à la maison se croisent les bras toute la journée!

LE TRAVAIL, UNE NÉCESSITÉ PSYCHOLOGIQUE?

Il y a, dans le choix que font les femmes d'avoir un emploi, deux composantes souvent indissociables: le besoin, aussi vif pour elles que pour les hommes, de pouvoir permettre à leurs talents et compétences de s'exprimer, et, indépendamment du fait d'aider à boucler le budget, la nécessité d'une certaine indépendance financière. Comme le premier point est justement la raison d'être de ce livre et que j'y suis revenue à maintes reprises tout au long de ces pages, j'insisterai davantage, ici, sur le second.

À une époque et dans une société où la valeur de l'individu se mesure d'abord à sa réussite financière et professionnelle, il ne faut guère s'étonner de la dévalorisation du travail au foyer qui ne se mérite aucun salaire et ne représente rien de prestigieux puisqu'il n'est que l'expression naturelle de l'amour et du dévouement féminin, sinon de la féminité elle-même . . . Or, ce travail devrait faire l'objet d'un choix au même titre que toute autre profession, d'autant plus qu'il implique énormément de compétences. Ce ne sont pas toutes les femmes qui ont, à la fois, outre une extraordinaire dose de patience, les capacités pour être administratrice, infirmière, éducatrice, couturière, psychologue, cordon-bleu, disponible vingt-quatre heures sur vingt-quatre, d'une santé de fer et quoi encore. N'insistons pas sur l'absence de vacances et de congés. Ce qui choque, devant ce cumul de fonctions, c'est qu'il implique l'asservissement financier, l'humiliation d'avoir à réclamer, expliquer, justifier le moindre dollar. Combien de femmes sont, encore aujourd'hui, forcées de demander au mari l'argent du ménage, toujours insuffisant, rarement augmenté en dépit de l'inflation et des dépenses imprévues. Qui peut trouver juste que, devenant la "moitié" de son époux le jour des noces, l'épouse se retrouve ensuite son "tiers-monde", sans le moindre espoir de sortir de son sous-développement? Et combien de maris ne profitent pas de la supériorité qu'ils tirent de cet argent gagné par "eux" pour donner plus d'ampleur à leur caractère tyrannique et dominateur? Si jamais il y a une situation qui permette de croire aux miracles, c'est bien celle de la femme au foyer. Plus dramatique encore, toutefois, est celle de l'épouse qui participe (bénévolement, toujours) à l'entreprise de son mari, qu'il s'agisse d'une ferme, d'un commerce ou d'une agence de relations publiques, et se retrouve subitement sur la paille et sans aucun recours le jour où celui-ci décide de la plaquer pour une "jeunesse" de vingt ans qui le rassurera sur sa séduction et sa virilité. Le sort réservé par notre société à la femme qui se consacre entièrement à son mari et à ses enfants est proprement scandaleux. Néanmoins, exception faite des organismes féminins, nul ne s'en émeut jusqu'au moment où, poussée par les circonstances, la femme décide de prendre sa vie en main et de la gagner. En fait, on trouve beaucoup plus normal de voir ses propres enfants acquérir un minimum d'autonomie financière en distribuant le journal, en faisant des livraisons ou du "baby-sitting". Pourtant, sauf dans le cas des plus jeunes et de celles qui ont une formation professionnelle, le marché du travail n'offre pas grand choix aux femmes de quarante ou quarante-cinq ans et qui, en dépit du fait qu'elles ont élevé cinq enfants et fait marcher la maison pendant vingt ans, sont "sans expérience". Mais la situation devient si intolérable que beaucoup préfèrent faire abstraction de la double journée de travail et des commentaires scandalisés et culpabilisants, et se chercher tout de même un emploi.

Les femmes qui veulent voir les choses changer doivent compter, d'abord et avant tout, sur elles-mêmes. Elles sont les seules à pouvoir convaincre leurs compagnons de la nécessité d'évoluer, pour elles comme pour eux, et à s'assurer de leur appui. Il faut donc qu'elles commencent par se soutenir entre elles et par réfléchir à tous les aspects de la condition féminine, avant de montrer du doigt la mère qui attend l'autobus, en tenant d'une main un enfant et de l'autre son sac avec ses sandwichs. Il faut qu'elles se fassent à l'idée que leurs consoeurs ont autant le droit de choisir leur destinée que leur propre époux. Il faut qu'elles se dissocient de cette "chasse aux sorcières" et qu'elles fassent tout pour y mettre fin.

CENT MILLE FEMMES MARIÉES PARLENT DE LEUR SEXUALITÉ

Il est impossible de parler de l'émancipation de la femme sans aborder le chapitre de la sexualité qui, elle aussi, prend une autre dimension. Depuis le temps qu'on nous veut soit vierges et mères, soit putains, afin qu'il y en ait pour tous les goûts, nous sommes amplement justifiées de vouloir une vie sexuelle qui dépasse le cadre du "devoir conjugal" et ne débouche pas systématiquement, neuf mois plus tard, sur une nouvelle maternité. Devant l'incompréhension manifestée par les hommes face à la sexualité féminine, je n'ai vu de meilleure solution que de laisser la parole aux femmes elles-mêmes. J'ai donc choisi de résumer, ici, le rapport *Redbook,* résultat d'une étude menée aux États-Unis et au cours de laquelle les enquêteurs ont interrogé cent mille épouses. Beaucoup plus complet que le rapport *Kinsey* avec ses six mille sujets, le *Redbook* nous apprend beaucoup de choses sur les Américaines dont le style de vie se rapproche passablement du nôtre; on découvre ainsi que la majorité des femmes ont fait l'amour avant de se marier, qu'elles ne dédaignent pas les rapports bucco-génitaux, mais refusent la sodomie, que l'infidélité est l'exception plutôt que la règle et que la culpabilité qui l'accompagnait traditionnellement est en train de sombrer dans l'oubli.

Si les Américaines sont plus nombreuses à avoir eu des rapports sexuels avant le mariage, il demeure tout de même qu'elles n'ont, le plus souvent, eu qu'un seul partenaire: leur futur mari. La virginité prénuptiale reste un facteur dominant chez les jeunes filles qui sont pratiquantes — quatre sur dix — et chez celles qui poursuivent des études supérieures: 74% des étudiantes sont encore vierges à dix-sept ans, comparativement à 30% pour les autres. Celles qui ont eu des rapports sexuels très tôt, soit avant quinze ans, semblent avoir un destin qui diffère des autres femmes: elles se marient tôt, abandonnent leurs études, ont de nombreux amants, divorcent souvent, connaissent rarement l'orgasme et se disent malheureuses.

Pour la plupart des participantes à l'enquête, le mariage est la clé du bonheur. 97% des jeunes mariées se déclarent heureuses en ménage et, après dix ans de vie conjugale, 85% des épouses estiment que leur vie sexuelle est "bonne" ou "très bonne", sans distinction entre celles qui travaillent au foyer ou à l'extérieur.

Les femmes qui sont satisfaites de leur mariage font l'amour plus souvent que les autres. Pour la moitié d'entre elles, la fréquence dépasse dix fois par mois et est même supérieure à quinze fois dans le cas de deux femmes sur dix. Autre détail intéressant: 38% jugent la fréquence insuffisante . . . alors que, autrefois, les maris se plaignaient parce que leurs épouses refusaient leurs avances!

L'augmentation de la fréquence des rapports conjugaux depuis 1970 est de l'ordre de 14% et semble aller de pair avec la découverte de l'orgasme par un nombre croissant de femmes: 47% à l'époque de Kinsey, 63% aujourd'hui. Dans de nombreux cas, l'orgasme est provoqué par les caresses et non par la pénétration. Neuf femmes sur dix acceptent des relations bucco-génitales; quatre sur dix ont essayé la sodomie, en général à la demande de leur mari, mais seulement la moitié l'ont jugée agréable. Sept femmes sur dix se masturbent depuis leur mariage, principalement lors d'une absence temporaire du mari, mais la plupart préfèrent le coït.

En ce qui a trait aux relations extra-conjugales, on apprend que trois femmes sur dix sont "infidèles", mais elles n'ont, le plus souvent, qu'un seul amant. Celles qui travaillent sont plus "libres" que les autres: une sur deux a fait l'amour avec un autre homme que son mari. La plupart ont eu moins de cinq rapports sexuels avec un ou plusieurs hommes, davantage par curiosité et frustration que par grande passion. Pour 6% des femmes, l'adultère n'est toutefois pas une expérience passagère, mais représente la possibilité de vivre deux amours simultanément.

Voici, présentées sous forme de tableau, les principales comparaisons qu'on peut établir dans la façon dont les femmes vivent leur sexualité, avant et après la généralisation de la contraception:

Autrefois	Aujourd'hui
Les femmes mariées ont autant de rapports extra-conjugaux qu'à l'époque du rapport Kinsey (1948) . . .	mais elles s'y mettent plus tôt!
La plupart de ces mêmes épouses sont insatisfaites de leur mariage ou s'y ennuient . . .	mais une minorité substantielle est aussi satisfaite du mari que de l'amant!
Elles ne changent pas plus souvent de partenaires qu'autrefois . . .	mais elles ont tendance à préférer les aventures passagères aux amours durables.
Avant, elles s'attendent à éprouver des remords . . .	mais elles n'en ressentent généralement pas après!
La grande majorité des épouses américaines préfèrent la monogamie . . .	à notre époque aussi.

Faute d'une éducation appropriée, énormément de femmes sont, encore aujourd'hui, aux prises avec les "affres du péché" dès qu'elles songent à la sexualité. D'autres en ont peur. Dans ce dernier cas, elles sont comme tout le monde, ainsi que l'explique Jean McKellar, une avocate attachée à un centre d'urgence pour les victimes du viol, aux États-Unis. D'après elle, les craintes reliées à la sexualité sont parmi les plus profondes que puisse éprouver l'être humain. Les hommes craignent de ne pas être à la hauteur — ce que symbolise la castration — et les femmes redoutent les agressions sexuelles et, plus que tout, le viol. Ces craintes, souligne Jean McKellar, sont des archétypes qu'on retrouve dans toutes les cultures et à toutes les époques; ce sont des vestiges de l'instinct de conservation qui trouve son origine dans la période la plus primitive de l'histoire de l'humanité. Les individus prennent conscience de ces peurs lorsque celles-ci se manifestent dans leurs rêves ou sous forme de fantasmes.

Les fantasmes sont de deux ordres; parfois, ils expriment ce que nous désirons, mais qui nous est refusé, comme la richesse, le pouvoir ou le succès. Mais ils peuvent également évoquer la douleur, la mort ou la déception sous toutes ses formes, afin que le retour à la réalité soit, par comparaison, beaucoup plus agréable. Dans les deux cas, ils jouent un rôle bénéfique, du moment toutefois qu'ils ne prennent pas le pas sur la réalité, parce qu'ils permettent le changement, même si celui-ci n'est qu'illusoire. En général, ils s'appuient, en les déguisant cependant, sur des situations réelles mais frustrantes. Ainsi une femme peut avoir des fantasmes de viol parce que ses désirs sexuels sont puissants, alors qu'elle ne se croit pas digne d'attention et de tendresse. Ce sentiment d'indignité exige, pour qu'elle puisse connaître le plaisir, qu'elle y associe douleur et humiliation. Dans d'autres cas, l'insatisfaction éprouvée vis-à-vis d'un partenaire peut engendrer un besoin de compensation que seul pourrait satisfaire un autre partenaire ou même un étranger.

Mais le fantasme demeure tout de même l'exception et la grande majorité des femmes préfèrent donner plus d'ampleur à leur vie sexuelle en s'appropriant ce qui, jusqu'ici, était considéré comme des privilèges masculins, tel le fait de prendre l'initiative, d'exprimer ses désirs, de se refuser sans prétexter une migraine. Comme dans les autres domaines que nous avons déjà étudiés, l'émancipation de la femme passe par l'affirmation de soi et par l'égalité des rapports dans la vie de tous les jours, comme dans la vie sexuelle.

EN GUISE DE CONCLUSION

La stagnation qu'a connue la condition féminine depuis les débuts de l'humanité est essentiellement la conséquence de notre manque de solidarité dans la revendication de nos droits. Personne n'abandonne de bon coeur ses privilèges et les hommes moins que tout autre, surtout aux mains des femmes. En outre, la justice ne tombe pas du ciel et si sa balance est droite, elle est tout de même maintenue par une main masculine, même si on la représente sous les traits d'une femme (qu'on a, pour plus de sécurité, bien pris soin d'aveugler d'un bandeau!). Les premières féministes qui se sont battues pour nous ont été tournées en ridicule et nous n'avons pas hésité à joindre nos voix à celles de leurs détracteurs, sans même nous rendre compte que, ce faisant, nous nous en prenions à nous, les femmes. Il y a dix ans, on les traitait de folles et d'hystériques, réduisant leurs revendications à l'abandon du soutien-gorge et à d'autres points similaires, dans le seul but de nous masquer l'importance de l'enjeu. Maintenant, nous sommes de plus en plus nombreuses à leur rendre justice. Toutefois, les conquêtes que nous leur devons sont à la merci de la moindre crise démographique, de la moindre récession économique. Contraception, avortement, vie professionnelle, études supérieures, autonomie financière, vie conjugale dynamique, tous ces droits demeurent encore extrêmement fragiles. Nous devons donc nous serrer les coudes et ne pas nous endormir sur nos lauriers, sous peine de tout voir nous échapper et de retomber dans notre aliénation. C'est à cette seule condition que nous pourrons vivre désormais sans avoir à être à la fois et la belle et la bête.

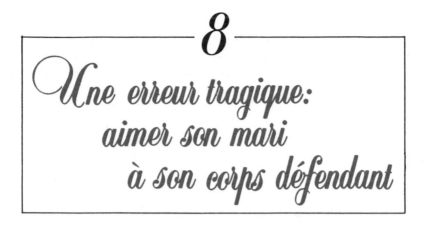

8

Une erreur tragique: aimer son mari à son corps défendant

LA libération de la femme n'a pas de prix, pas plus que la liberté elle-même. Et même si cela doit se faire au détriment d'un mari, nous ne devons pas hésiter à prendre les moyens qui s'imposent pour sortir enfin de notre cage, qui n'est pas toujours aussi dorée qu'on voudrait bien nous le faire croire. Si j'affirme ceci avec tant de force, c'est parce que j'en parle en connaissance de cause, étant moi-même passée par là... J'ai beaucoup réfléchi avant d'écrire ce chapitre. D'abord, parce que je savais fort bien que ce serait douloureux de revoir cette époque de ma vie et que je ne suis pas masochiste. Ensuite parce qu'une certaine presse n'hésitera pas à m'accuser d'exhibitionnisme dans le seul but de "faire vendre". Enfin, parce que Pierre et moi, nous nous étions bien promis de garder le secret sur cet épisode inconnu du public.

J'y ai donc bien pensé. Et, avec le temps, tous ces arguments sont tombés d'eux-mêmes, l'un après l'autre. Il m'a été difficile de me remémorer ma rupture, vraiment difficile, parce que ce fut sans doute le plus grand cauchemar de ma vie. Mais je me suis dit qu'il s'agissait d'un geste positif et que si ma démarche pouvait s'avérer utile à d'autres, alors cela en valait la peine. Chemin faisant, j'ai probablement exorcisé ma peine et, pour la première fois, j'ai pu analyser, sans trembler d'émotion, les événements de ma vie sentimentale. Je n'ai pas demandé la permission à mon mari avant d'écrire ce passage: Pierre et moi, nous n'avons plus besoin de nous parler et de nous interroger de cette façon; nous communiquons tout simplement, profondément et chaleureusement, dans une parfaite complémentarité. Ce qui me va lui convient. Je sais, il sait. Nous sommes heureux, c'est tout. Mais il n'en a pas toujours été ainsi . . . et nous avons dû gagner notre ciel, comme on dit.

L'argument du sensationnalisme, quant à lui, ne tient absolument pas, si l'on considère le ton de ce livre: j'y ai mis trop de foi, de sincérité et de spontanéité pour donner prise aux absurdités d'un échotier en mal de commérages. Je suis donc rapidement passée au dernier point, la conservation du secret. Mais n'avais-je pas, jusque-là, révélé toutes les étapes de mon évolution, mentionné mes moindres faux pas? Comment justifier alors que je ne livre pas "ma" vérité jusqu'au bout, surtout à propos d'un événement qui, plus que les autres, m'a aidé à progresser? D'autre part, je tenais énormément à dire à toutes les femmes que la fin d'un mariage n'est pas celle d'une vie, que le départ d'un partenaire peut s'avérer la solution par excellence quand tout va à vau-l'eau, que l'espoir naît du désespoir, bref que jamais, au grand jamais, il ne faut s'avouer vaincue et renoncer à vivre, à changer, à se renouveler.

Le 3 décembre 1977, j'avais pris ma décision. Je m'en rappelle, je m'en rappellerai toujours. J'étais dans ma chambre, au vingt-quatrième étage de la rue Fort; il était une heure de l'après-midi et j'ai éclaté en sanglots!

Pierre s'est assis au bord du lit. Je ne pouvais m'empêcher de pleurer à chaudes larmes en pensant à tout le mal que j'allais lui faire et sachant ce qu'il m'en coûterait de le voir souffrir. Ce n'est pas moi qui ai parlé la première. Il a approché son visage du mien et m'a demandé, presque comme une caresse: "Tu es tombée en amour avec quelqu'un d'autre?"

Il n'y a rien de plus atroce que de voir son mari accablé par la douleur. Même quand on ne l'aime plus, c'est insupportable. Or moi, je l'aimais intensément, quoique à mon corps défendant . . . Car si mon compagnon depuis dix ans avait deviné son drame, il ne pouvait, sur le moment, en comprendre toute la dimension. Comme tous les maris, il s'apercevait trop tard de l'ampleur de ses erreurs! On ne peut pas aimer un homme contre son gré, toute une vie durant . . .

Pourtant, tout avait commencé comme un conte de fée.

Comment pourrais-je jamais oublier? À l'époque, je vivais dans un "deux pièces et demie", au coin de Guy et Sherbrooke, qui, du deuxième étage, surplombait un jardin intérieur toujours ensoleillé. Quand j'entendis frapper à la porte, ce matin-là, je me sentis agacée parce qu'il était de bonne heure et que je n'étais pas maquillée. Nous étions en 1967 et c'était encore l'époque où il m'était impossible de me présenter devant un étranger sans être "montrable". C'était ma première saison à la télévision d'État où j'animais avec Guy Boucher "Le Club des Jnobs" et j'étais très consciente de mon personnage, c'est-à-dire que je me devais d'être impeccable en tout temps, donc soigneusement peinturlurée.

Je me décidai tout de même à ouvrir et qu'est-ce que je vis? Un jeune homme dans la vingtaine, au regard décidé et rempli de tendresse, tout de blanc vêtu, qui, sans craindre de paraître naïf, me déclara d'emblée: "On n'a pas le plaisir de se connaître. Je m'appelle Pierre Brousseau et je suis venu pour vous épouser et vous rendre heureuse."

J'en restai bouche bée! Si au moins, c'était un gag! Mais il était évident que mon interlocuteur ne blaguait pas le moins du monde. Je restai donc plantée là, sidérée, la porte entrouverte, ne sachant quoi dire, intriguée par cet énergumène qui, je ne peux le nier, avait plus de culot que tous les hommes que j'avais connus jusque-là.

Je me demande encore comment j'ai pu le laisser entrer

chez moi, même avec son allure empreinte d'innocence. Peut-être est-ce parce que j'ai deviné que son apparente fermeté cachait une immense sensibilité... Pourtant, à cette époque précise de ma vie, je ne voulais rien savoir des hommes, quels qu'ils soient. Je venais de connaître un dur échec, celui de mon mariage avec Jacques Boulanger qui avait été mon amour d'adolescente. Réveil brutal: nous n'avions absolument rien en commun! Pendant trois ans, nous étions sortis ensemble trois soirs par semaine (un au cinéma, un autre passé à danser et le troisième où nous nous embrassions dans la plus pure tradition de ce qu'on appelait alors le "necking"). Ce n'était assurément pas la meilleure façon de se connaître, ni d'apprendre ce qu'est la vie à deux avec ses besoins et ses réalités. J'avais vingt-six ans, j'étais toujours traumatisée par cet échec qui restait d'autant plus douloureux que je n'en avais pas encore bien compris tous les éléments. La seule chose que je savais, c'est que j'avais eu suffisamment de présence d'esprit pour refuser de gâcher trois vies, celle de Jacques, celle de notre fils Christian et la mienne. Il y avait également toutes ces peurs que je traînais depuis mon enfance et dont j'ai déjà parlé, au début de ce livre.

Indubitablement, Pierre Brousseau ne pouvait tomber plus mal dans ma vie!

Pourtant, je le laissai entrer et il s'installa dans mon intimité avec une fluidité incroyable. Il se sentit immédiatement à l'aise, presque chez lui. Il me parla avec une adresse et un doigté infinis, il me parla de moi, qui ne me connaissais même pas, avec tant de certitude que j'en étais mystifiée. Il me baignait d'une aura de compassion, m'imbibait de poésie, se prononçait comme un oracle. Comme s'il lisait dans une boule de cristal, il me prédit mon avenir: je ferais des disques, du cinéma, je "commettrais" un livre; mais, avant toute chose, j'étais une communicatrice, un *performer*... Le plus étonnant, c'est que tout cela se réalisera effectivement entre 1967 et 1978! Je ne pouvais qu'admirer son instinct sûr, sa merveilleuse intelligence, sa force de concentration, son étonnante confiance en la vie.

Étais-je en train d'en devenir amoureuse? Pas encore... Mais je n'allais sûrement pas mettre à la porte ce personnage fascinant que j'aurais volontiers pris pour un envoyé du ciel! Alors, sur la musique des Beatles ("Baby, you want to drive my car?"), je l'écoutai parler pendant quatre heures, charmée, subjuguée et effrayée par ses prophéties. Quelqu'un qui vient vous dire votre avenir avec autant de conviction, quelqu'un qui vous annonce son mariage . . . avec vous! Comment ne pas se sentir gagnée d'une terreur presque panique. J'avais besoin d'un peu de recul. Je lui dis donc au revoir, et ce n'était pas un adieu.

Finalement, il ne tombait pas si mal . . . J'avais besoin de quelqu'un qui puisse croire en moi, qui sache voir la femme en moi, et non un *entertainer*. J'avais besoin d'un aventurier superbe qui m'entraînerait dans une équipée fabuleuse.

Tout cela était encore enfoui dans mon subconscient et, pendant cinq mois, je me refusai à voir autre chose qu'un ami en Pierre, un ami qui représentait la force, la nouveauté, la vie, un ami qui se révélait extrêmement stimulant.

Sa grand-mère espérait le voir devenir prêtre, son père, un avocat, mais lui, il avait opté pour le cinéma! Auparavant, toutefois, il voulait connaître le monde et rouler sa bosse tant que la chose était encore possible. Pierre Brousseau était ce que les Américains appellent un *maverick*, c'est-à-dire un être foncièrement indépendant, qui n'en fait qu'à sa tête, et il n'a jamais changé!

C'est en sortant de la projection du film de Godard, *Pierrot le fou*, alors que nous nous connaissions depuis quatre mois, que j'ai commencé à me rendre compte de ce que j'éprouvais pour lui. Il faut dire que Pierre avait tout fait pour "activer" ma prise de conscience: il a toujours eu un sens précis de la stratégie et manifesté une imagination débordante quand il s'agissait de faire face à la musique et de me faire du cinéma . . .

Comme, à ce moment-là, il était à l'emploi d'Air Canada, je recevais, chaque semaine d'un coin quelconque du globe, des lettres incandescentes que n'auraient pas reniées Lamartine ou Baudelaire. Et quelles lettres! J'aurais pu en tapisser les quatre murs de ma chambre, du parquet au plafond! C'étaient d'interminables missives rédigées sur du papier parchemin, où il n'écrivait qu'au centre parce qu'il trouvait ça très esthétique. Craignant de se voir supplanté par un rival durant ses nombreuses absences, il imposait sa présence par ce moyen épistolaire et redoutable, et, de fait, mes camarades étaient fort impressionnés par sa plume intarissable. Qui ne l'aurait été!

Puis, Pierre s'installa à deux rues de chez moi, mais pas pour longtemps. Quinze jours plus tard, il déménageait carrément en face! Et je m'habituai à partager, tous les matins sans exception, mon petit déjeuner avec lui. Sa présence me remplissait de confiance pour le reste de la journée. Toutefois, un matin, il ne vint pas . . . La panique me gagna presque et c'est alors que je découvris que je l'aimais. Je le lui dis et, après quatre mois de vie commune, nous nous mariâmes. Je le connaissais depuis neuf mois et, neuf mois plus tard, je donnais naissance à Isabelle.

À ce moment-là, j'aurais juré que ma destinée était écrite dans le ciel, que le sort en était définitivement jeté et que je vivrais heureuse jusqu'à la fin de ma vie, sans plus jamais me remettre en question. C'aurait été un serment pour le moins prématuré!

* * *

Comme tous les hommes dignes de ce nom, Pierre considérait que, dans un couple, c'est le mâle qui doit dominer et tout prendre à sa charge, décisions et responsabilités, y compris celles d'ordre monétaire. À l'homme les hautes inquiétudes et les grandes tâches, à la femme la frivolité des affaires de coeur! À lui le verbe et le silence studieux, à elle les pâmoisons, l'eau de rose et les larmes. Peu à peu, les affaires (sérieuses!) prirent le pas sur l'amour, l'intellect sur les sens, la vie publique sur la vie privée, la raison sur le coeur. J'avais choisi un homme jeune, qui n'avait pas encore atteint toute sa maturité et qui, en dépit de ses expériences, avait encore beaucoup à apprendre. Mais je commençais à me sentir de moins en moins disposée à le laisser "apprendre" à mes dépens.

L'émancipation des femmes devait bientôt — cela s'étala tout de même sur quelques années — venir brouiller cette symétrie trop tranquille! Un mouvement de libération irréversible s'amorçait avec force et je n'y étais pas indifférente. Lentement, les femmes commençaient à envahir tous les domaines qui leur étaient restés inaccessibles. L'amour n'avait plus nécessairement pour elles le visage de l'absolu et elles s'ouvraient à d'autres émotions que celles du coeur, refusant le tandem vie amoureuse-mort conjugale.

Il n'était donc plus question que j'écoute béate, puisque mon besoin d'expression recherchait avant tout une nouvelle forme de dialogue où les deux participants auraient voix au chapitre et non plus un seul. J'en avais assez d'être l'éternelle minorité et le témoin muet de décisions qui ne se prenaient jamais à deux. Je commençais à percevoir le mariage comme une institution qui avait fait de moi un être sans vie véritable, sans vie propre. Pierre était tellement fort et sûr de lui, d'un caractère si fougueux et trop souvent impérieux que je m'étais résignée à me retrancher derrière ma fragilité. Mais en fait, j'étais, sans le savoir, déjà en pleine rébellion et je n'acceptais plus de vivre en comptant sur mon mari pour me protéger du reste du monde. Plutôt que de considérer ma fausse sécurité comme un bouclier, j'avais le pressentiment de ne plus pouvoir demeurer la maîtresse de mon mari et son attitude me paraissait de plus en plus méprisante.

J'étais en train de comprendre que je me laissais écraser par lui. Loin de me préserver des maux de l'extérieur, je m'offrais aux coups venus de l'intérieur. C'était en moi, en quelque sorte, que le danger résidait. J'avais d'autant plus besoin de me protéger que j'avais beaucoup de difficultés à définir mes besoins, mes goûts et même à exprimer mon opinion en présence de mon partenaire. Incapable de répliquer devant sa puissante dialectique, chaque discussion se soldait par ma défaite et, de nouveau, je commençais à me dévaloriser. Pourtant, c'était généralement moi qui avais raison sur le fond, mais l'inconscience de Pierre et sa fabuleuse propension à toujours vouloir dominer, à avoir le dernier mot, réduisaient à néant mes pauvres arguments mal étayés. Aveuglé par son habileté à manier les mots, Pierre ne se rendait pas compte que chacune de ses victoires verbales signifiait, en réalité, que je m'éloignais davantage de lui et qu'il me détruisait un peu plus chaque fois.

Alors que la frustration me poussait à crier et à pleurer, il ne trouvait rien de mieux que de me traiter d'imbécile! Me faire dire ça par l'homme que j'aimais, que je respectais, que j'admirais, me démolissait et je finis par ne plus pouvoir émettre une seule idée devant lui. Plus rien n'existait de ce qui m'avait incitée à le laisser partager ma vie: sa foi en moi, son attitude positive, son amour plus fort que tout, plus grand que sa raison, sa sensibilité, sa tendresse. Tout ça avait été emporté par une soif ridicule de dominer . . . Or, cela se paye, et cher . . . L'amour n'est pas fait de deux solitudes parallèles; il se vit à deux. Dès qu'il se nourrit du sacrifice permanent de l'un et du "vampirisme" de l'autre, il disparaît sans bruit, mais définitivement. Aimer, c'est vouloir le bonheur de l'autre, mais il faut qu'il y ait réciprocité. Nous, où en étions-nous, à propos de cette réciprocité? . . .

Vers la fin de 1976, je fis, à Miami, la connaissance d'un homme. Dès que je l'aperçus, je compris ce qui allait se passer. En un instant, je vis, comme dans un film, ce qui nous arriverait: le mot "rupture" qui résonnait entre Pierre et moi, la séparation, notre douleur mutuelle, et ce fut là, sur la plage, que j'éclatai en sanglots pour la première fois. Notre futur si proche me faisait horreur et l'idée de devoir tout recommencer à zéro, à trente-six ans, alors que je m'étais bien promis que ça ne m'arriverait plus, me semblait un cauchemar indescriptible.

Mais il n'était plus question pour moi d'abdiquer, de renoncer à moi-même, à ma personnalité, à tout ce qui n'a pas de prix. Je n'avais d'autre choix que d'aller de l'avant. Cet homme que je venais de rencontrer me fournissait le prétexte de rompre, mais, même sans lui, j'aurais quitté Pierre de toute façon. Simplement, comme je voyais en lui un ami autant qu'un homme, cela me facilita les choses. J'en voulais tant à mon mari d'avoir détruit notre merveilleuse complicité du début.

Je m'installai donc chez cet homme avec armes et bagages. Heureusement, il n'y avait pas eu de problème de partage avec Pierre. C'est l'être le plus généreux que je connaisse, et il n'a jamais été question d'argent avec lui. Il est au-dessus de ça, et il m'a toujours laissé le champ libre en ce domaine, me reconnaissant, sans hésiter, la priorité. Mais je ne voulais rien lui demander, rien lui devoir; je tenais à mon autonomie et j'ai toujours gagné ma vie. Nous restions profondément attachés l'un à l'autre et je savais que si, un jour, j'avais besoin de lui, il répondrait sans perdre un instant à mon appel.

Pierre décida de plier bagages. Il n'aimait plus ce qu'il faisait et il se débarrassa de tout ce qui le retenait ici. Pendant huit mois, il voyagea au Mexique, au Nicaragua, en Suisse, en France et en Californie. Puis il s'installa à Sainte-Lucie, une île au large du Venezuela, chez un producteur de cinéma où il écrivit un scénario de film, *The Blue Letter*. Bien entendu, il s'agissait de notre propre histoire plus ou moins romancée qu'il racontait dans l'espoir de se cicatriser et de faire le point, tout en offrant un exutoire à sa créativité.

Comme aux jours dorés de nos fréquentations, il m'envoyait des lettres d'un peu partout et, quand il revenait pour deux jours, nous allions voir ensemble notre fille Isabelle. Le contact n'était pas rompu, bien au contraire.

Un an passa. L'homme avec qui je vivais enfin une existence paisible m'apportait une aide inestimable. Grâce à lui, je recommençais à m'aimer, à croire en moi, à m'exprimer, à faire face aux situations et aux êtres. J'apprenais à dire "non" sans crier, mais en expliquant calmement les raisons de mon refus. Je parlais à mes parents en adulte, et non comme une éternelle adolescente. Je grandissais!

C'est alors que j'ai recommencé à voir Pierre.

Cela se fit doucement, lentement, sans hâte. Je craignais de le voir m'écraser de nouveau, mais je voulais qu'il devienne mon véritable ami lorsque nos plaies seraient enfin guéries. Je ne voulais pas perdre un être d'une telle valeur, ils sont si rares ceux, comme lui, que la vie nous fait connaître. C'est si important un ami, et c'est sans doute la plus grande des possessions! En outre, je refusais de croire que j'avais pu m'abuser à ce point sur le compte de Pierre, que tout ce que j'avais aimé en lui était bêtement parti en fumée, comme ça... Non, si je tenais tellement à notre entente, ce n'était pas à cause de notre fille. C'était pour moi-même. Et lui, il y tenait autant que moi!

Pendant notre séparation, Pierre s'était livré à un examen de conscience et, peu à peu, le dialogue — un vrai, cette fois, reprit entre nous. Il m'écoutait maintenant avec ferveur, faisant preuve de respect et de sensibilité. Moi, j'avais retrouvé le sens de ma valeur et je ne voulais qu'une seule chose, désormais: être moi-même. J'aimais ma forme d'intelligence, mon humanité. J'admirais les qualités de Pierre, mais je me devais de développer pleinement mon potentiel.

Le respect de l'autre étant maintenant chose entendue entre nous, l'entente était redevenue possible. Ma confiance en moi me permettait d'avoir confiance en Pierre. Je compris alors que nous formions réellement un couple et que nous étions faits pour vivre ensemble, en égaux. Lui qui m'avait tyrannisée pendant une dizaine d'années était devenu un "féministe" convaincu et il m'accordait le droit de tout diriger pendant la prochaine décennie, en guise de compensation!

Nous avons donc repris la vie commune. Parce que c'était ce que nous souhaitions et désirions tous les deux. Parce que, désormais, nous tiendrions tous les deux la barre du gouvernail et partagerions les responsabilités, y compris les tâches domestiques. À cause de nos professions respectives, nous nous en chargerions en fonction du temps que nous laisseraient nos horaires. Sitôt dit, sitôt fait! Le sexe n'intervient plus comme facteur déterminant dans nos décisions, dans la façon dont s'écoule notre vie. Nous décidons tout d'un commun accord, nous nous consultons constamment. Pierre admet qu'il est bien plus heureux ainsi parce qu'il sait réellement ce qu'est la vie-à-deux, maintenant. Je suis devenue la maîtresse de mon mari et nous avons retrouvé notre merveilleuse complicité.

Ma plus grande joie, c'est de le voir mener à bien un de ses projets, et il en va de même pour lui. C'est l'amour qui nous guide, l'amour que nous éprouvons l'un pour l'autre. Cette harmonie entre nous ne s'est pas faite sans heurts. J'ai bien failli mourir de peine, et lui aussi, mais ça en a valu le coup. Ce que nous partageons aujourd'hui est irremplaçable, ça n'a pas de prix. Nous sommes heureux au jour le jour, sans laisser le monde extérieur perturber notre paix. Je pense bien que nous sommes sur la voie de la sagesse . . .

Vivre ensemble peut se révéler un plaisir permanent. Chaque couple peut y parvenir, à condition d'en prendre les moyens. Même la rupture, s'il le faut! Si vous êtes faits l'un pour l'autre, vous ne pourrez que vous retrouver plus tard, plus riches, plus épanouis. Mais cela implique que nous nous débarrassions de tout cet orgueil que nous traînons en nous et que nous écoutions, humblement, la voix de notre coeur et de notre raison.

Aujourd'hui, je m'amuse beaucoup en regardant mon mari écouter les autres femmes. Il les comprend bien autrement, maintenant! Celles-ci lui parlent en toute confiance, comme s'il était leur "amie"! C'est surtout au niveau du combat qu'elles entreprennent avec leurs maris respectifs pour exprimer leur individualité, faire valoir leur créativité, qu'il se montre le plus perspicace. Et cela lui donne un pouvoir incomparable sur les autres hommes . . . Mais je n'ai pas peur, je n'ai plus jamais peur de lui, et c'est ça qui est merveilleux!

Quelque deux ans après notre rupture, nous avons pris possession d'un appartement, rue Sherbrooke ouest, où nous avons vécus heureux. Je vous en souhaite autant, à vous toutes mes amies, et j'espère que mon histoire pourra encourager toutes celles — et je sais qu'elles sont nombreuses . . . — qui ont entrepris de convaincre leur mari de la nécessité d'évoluer côte à côte. S'il vous aime vraiment, il saura se rallier à notre cause. Sinon, refusez de vous laisser dominer plus longtemps et, s'il le faut, n'hésitez pas à vous chercher ailleurs un véritable compagnon de route. C'est à cette condition seulement que vous pourrez vous affirmer et connaître un bonheur aussi intense que le mien.

9

Faites vos tests personnels

ES tests sont un simple questionnaire qu'il vous suffira de remplir avec beaucoup de sincérité.

Ils vous permettront de vous faire une meilleure idée de vous-même, de votre personnalité, et vous aideront peut-être à planifier votre vie pour les années à venir.

Que pensez-vous de l'actuel mouvement des femmes?

☐ J'y suis favorable.

☐ J'y suis assez favorable, mais je n'approuve pas leur mode d'action.

☐ Cela ne m'intéresse pas.

☐ C'est un faux problème, elles sont ridicules.

D'où les femmes peuvent-elles espérer une amélioration de leur condition?

☐ Du mouvement des femmes.

☐ De l'évolution naturelle de la société.

☐ Des partis politiques.

☐ Du gouvernement.

☐ Sans opinion.

De ces trois déclarations, quelle est celle que vous jugez la mieux fondée?

☐ "J'estime que les femmes et les hommes ne sont pas semblables. Ce qui est important, c'est que les uns comme les autres puissent s'épanouir et accomplir leur personnalité."

☐ "Il y a encore beaucoup trop d'inégalités entre les hommes et les femmes. Les uns et les autres devraient avoir les mêmes droits, les mêmes responsabilités, les mêmes fonctions et les mêmes charges."

☐ "Les femmes sont exploitées et opprimées par les hommes. Elles devraient lutter toutes ensemble pour leur libération!"

Votre attitude vis-à-vis de la condition féminine s'est-elle modifiée depuis que vous savez qu'il existe un mouvement des femmes?

☐ Oui, cela m'a fait réfléchir.

☐ Oui, je comprends mieux les femmes et je m'en sens solidaire.

☐ Oui, j'ai compris que bien des choses étaient injustes et anormales.

☐ Oui, j'ai compris que mes problèmes étaient politiques.

☐ Oui, cela m'a amenée à abandonner certaines attitudes aliénantes.

☐ Non, cela n'a rien changé.

Jusqu'à quel point avez-vous confiance dans les autres et dans la vie?

☐ Trouvez-vous normal d'être le seul juge et la seule responsable de vos actes, de vos pensées et de vos sentiments?

☐ Trouvez-vous normal de ne pas justifier ou excuser votre conduite?

- [ ] Trouvez-vous normal de changer d'avis?
- [ ] Trouvez-vous normal de vous tromper et de tirer des leçons de vos erreurs?
- [ ] Trouvez-vous normal de ne pas avoir à dépendre du bon vouloir des autres et de pouvoir assumer vos choix?
- [ ] Trouvez-vous normal d'avoir à vous plier à des décisions qui vous semblent illogiques?
- [ ] Trouvez-vous normal de pouvoir dire: "cela ne me concerne pas"?
- [ ] Trouvez-vous normal de pouvoir dire NON sans vous sentir fautive?

Vous sentez-vous bien dans votre peau?
- [ ] Oui.
- [ ] Assez souvent.
- [ ] Assez rarement.
- [ ] Presque jamais.

Que souhaitez-vous le plus?
- [ ] Disposer d'un peu de temps libre?
- [ ] Pouvoir aller n'importe où, sans avoir à rendre de comptes?
- [ ] Gagner suffisamment d'argent pour être indépendante?
- [ ] Vivre une sexualité plus satisfaisante?
- [ ] Autre:

Que craignez-vous le plus?
- [ ] L'invalidité, la maladie.
- [ ] La solitude.
- [ ] Vieillir et les changements physiques qui s'ensuivent.
- [ ] L'impossibilité d'avoir une vie sexuelle.

De toutes ces situations, quelle est celle qui se rapproche le plus de la vôtre?

☐ J'ai fait les études que je souhaitais.

☐ J'ai commencé à gagner ma vie en sortant de l'école.

☐ Mes parents m'ont empêchée de poursuivre mes études.

☐ J'ai fait des études, mais la branche qui m'intéressait était fermée aux femmes.

Quelle est, selon vous, la plus grande satisfaction qu'une femme puisse retirer de son travail?

☐ L'épanouissement, la possibilité de mettre à profit ses qualités et ses compétences.

☐ L'autonomie financière.

☐ Le fait de jouer un rôle dans la société et de ne pas être confinée à la maison.

☐ Le fait de ne pas se sentir entretenue.

☐ Plus de respect de la part du conjoint, des enfants et de tout le monde, en général.

Quel est l'emploi que vous choisiriez?

☐ Un emploi extrêmement intéressant, qui prend beaucoup de temps et est relativement mal payé.

☐ Un emploi qui làisse beaucoup de temps libre, mais est peu payé et peu intéressant.

☐ Un emploi très bien rémunéré, mais qui prend beaucoup de temps et est peu intéressant.

Vous travaillez à l'extérieur de la maison; quelle est l'attitude de votre conjoint?

☐ Approbation et encouragement.

☐ Indifférence.

☐ Désaccord.

☐ Désapprobation totale.

Rien ne peut empêcher une femme de réussir. Êtes-vous d'accord avec cette affirmation?

☐ Oui.

☐ Parfois.

☐ Non.

Est-ce vrai que, à tâche équivalente, les femmes sont moins bien payées que les hommes?

☐ Oui.

☐ Parfois.

☐ Non.

Quelles injustices avez-vous subies à cause de votre sexe?

☐ Aucune.

☐ À compétence égale, salaire inférieur.

☐ Refus d'une promotion méritée.

☐ Impossibilité de faire carrière dans un domaine "masculin."

☐ Préférence accordée à un homme lors de l'attribution d'un emploi.

Comment évaluez-vous votre vie matrimoniale?

☐ Satisfaisante.

☐ Médiocre.

☐ Insatisfaisante.

Qu'est-ce qui vous paraît le plus important dans la vie à deux?

☐ Un compagnon fiable, une amitié privilégiée, une complicité.

☐ L'amour.

☐ L'entente intellectuelle.

☐ L'entente physique.

☐ Les enfants.

☐ Une sécurité matérielle et morale durable.

☐ Ne pas être seule.

Quelle est la situation la plus enviable, dans un couple?

☐ Celle de l'homme.

☐ Celle de la femme.

☐ Aucune différence.

De ces trois idées, quelle est celle que vous approuvez?

☐ Les garçons et les filles doivent participer également aux tâches ménagères.

☐ Une petite fille a autant besoin de se dépenser qu'un petit garçon.

☐ Cela me choque de voir un petit garçon jouer à la poupée.

Comment réagissez-vous devant un garçonnet en larmes?

☐ Un garçon ne pleure pas.

☐ Vous essayez de le consoler.

On apprend à un petit garçon à recoudre un bouton. Trouvez-vous que:

☐ Cela lui sera très utile.

☐ C'est du temps perdu.

☐ Ce n'est pas aux garçons de faire ce genre de choses.

Comment réagissez-vous devant une petite fille en train de se battre?

☐ Vous la laissez faire.

☐ Garçons ou filles, les enfants ne doivent pas se battre.

☐ Une petite fille ne doit pas se battre, c'est très laid.

En général, les hommes ne considèrent pas les femmes comme leurs égales:

☐ Vrai.

☐ Faux.

Avez-vous fait vôtre l'une ou l'autre de ces attitudes?

☐ Vous n'acceptez pas la façon dont la publicité exploite les femmes.

☐ Vous souffrez de dépendre financièrement de votre conjoint.

☐ Vous avez conservé ou repris votre nom de jeune fille, après votre mariage.

☐ Vous commencez à penser à vous avant de penser aux autres.

☐ Autre.

Laquelle de ces situations se rapproche le plus de votre cas?

☐ Tous mes enfants étaient prévus et désirés.

☐ Certains étaient imprévus, mais ils ont été les bienvenus.

☐ Certains étaient imprévus et j'ai eu du mal à les accepter.

☐ Je n'ai ni prévu ni désiré mes enfants; je les ai subis.

☐ Je me suis fait avorter parce que je ne voulais pas avoir d'enfants.

☐ Je ne peux pas avoir d'enfants.

Trouvez-vous que prendre soin des enfants est:

☐ Agréable.

☐ Enrichissant.

☐ Ennuyeux.

Que pensez-vous de la contraception?

☐ C'est un grand pas en avant.

☐ Elle est à l'origine de l'évolution récente de la condition féminine.

☐ Elle représente l'occasion d'une libération sexuelle pour les femmes.

☐ C'est une contrainte.

☐ Je manque d'informations à ce sujet.

Que pensez-vous de l'avortement?

☐ C'est un grand progrès que de pouvoir se faire avorter en cas de besoin et sans risquer d'être poursuivie.

☐ L'avortement est un crime.

☐ Je me sentirais coupable de me faire avorter.

☐ Votre opinion à ce sujet s'est-elle modifiée au cours des dernières années?

Votre vie sexuelle est-elle:

☐ Satisfaisante.

☐ Insatisfaisante; je ne m'entends pas avec mon partenaire.

☐ Insatisfaisante; je suis frigide.

☐ Inexistante.

Considérez-vous que le plaisir sexuel est:

☐ Important.

☐ Secondaire.

☐ Plus important pour mon partenaire que pour moi.

Êtes-vous d'accord avec l'une ou l'autre de ces affirmations?

☐ L'homme et la femme doivent pouvoir exprimer librement leurs désirs lors des relations sexuelles.

☐ Une femme doit pouvoir refuser d'avoir des rapports sexuels avec son conjoint lorsqu'elle n'en a pas envie.

☐ La femme a autant le droit que l'homme de prendre des initiatives.

☐ Les hommes acceptent assez mal que les femmes se refusent.

☐ C'est au mari qu'il appartient de prendre des initiatives.

Avez-vous déjà simulé un orgasme pour faire plaisir à votre partenaire?

☐ Jamais.

☐ De temps à autre.

☐ Souvent, en ayant le sentiment de tricher.

☐ Souvent, mais sans m'en formaliser.

Si vous aviez le choix, quel mode de vie préféreriez-vous?

A — Travailler à temps partiel:

☐ Pour concilier travail et tâches ménagères.

☐ Pour avoir plus de temps pour vous-même.

B — Travailler à temps plein:

☐ Tout en élevant des enfants.

☐ Une fois les enfants élevés.

☐ En n'ayant pas d'enfants.

C — Ne pas travailler à l'extérieur:

☐ Pour vous consacrer à l'éducation des enfants.

☐ Pour vous occuper de ce qui vous intéresse.

Comment se répartissent les tâches entre vous et votre conjoint?

☐ Il donne un petit coup de main à l'occasion.

☐ Moitié-moitié.

☐ Il ne fait rien.

Quelles tâches aimeriez-vous partager avec votre conjoint?

☐ Les soins à donner aux enfants.

☐ Promener et distraire les enfants.

☐ Faire faire leurs devoirs aux enfants.

☐ Le ménage.

☐ La cuisine.

☐ Les courses.

☐ La vaisselle.

☐ Le repassage.

☐ La couture.

☐ Aucune.

Comment trouvez-vous les tâches domestiques?

☐ Franchement ennuyeuses.

☐ Agréables.

☐ Très plaisantes.

☐ Sans opinion.

☐ Je n'ai pas à m'en occuper.

Certaines estiment qu'on ne reconnaît pas à sa juste valeur le rôle des femmes au foyer. Qu'en pensez-vous?

☐ Vrai.

☐ Faux.

Table des matières

ACHEVÉ   D'IMPRIMER
EN   OCTOBRE   1980
SUR LES PRESSES DE
PAYETTE & SIMMS INC.
À SAINT-LAMBERT, P.Q.

Prix #6.95
Acheté le, 19 - 02 - 81.